古代淀江ロマン遺跡回廊ブックレット 2

広域野外博物館と淀江

講演　矢野　和之　先生

2021年10月23日　オンライン講演会

はじめに

私の故郷である淀江は、古代から日本海交流の歴史ある天然の良港に加えて、霊峰大山の豊富な伏流水はじめ恵まれた自然も相まって、数千年前の縄文時代から白鳳時代に至る人々の営みを示す古代遺跡が回廊の如く集中して残り、その集落と遺跡が一体として美しい自然に溶け込みながら、連綿として今日まで共存する稀有な地域です。

更に、眺望できる景観は、背景に大山及び孝霊山、条里制の残る淀江平野、美保湾の日本海、砂州の弓ヶ浜半島、岩礁の島根半島、汽水湖の中海、晴天時に見える隠岐島までの一大パノラマであり、他に類を見ない壮大な景観です。

私共は、この地域の歴史・文化・自然遺産の展開をテーマに、「古代淀江ロマン遺跡回廊」構想を打ち出し、2021年5月水ノ江同志社大学教授を皮切りに、連続講演会を企画しています。そしてこのたび、10月に開催しました矢野和之先生の講演録・ブックレット2を発行する運びとなりました。

矢野和之先生は、広域野外博物館及び文化財整備計画に関する第一人者であり、五百万坪に及ぶ「古代淀江ロマン遺跡回廊」の活用方法について、国内外の史跡の広域的な整備・活用の事例をあげながら、数々の貴重なご提言をいただきました。先生のお話は、今後の私共の活動の指針となるのはもちろんのこと、全国各地の遺跡の活用方法にもおおいに参考になるものと思います。

推進会議は市民主体の団体ですが、こうした一級の先生方のご指導・ご提言を踏まえ、自治体とも連携しながら、着実に活動して参ります。

皆様と共に、この価値ある淀江の歴史・文化遺産ならびに文化的景観を、経済・観光・教育資産としての価値も高め、日本及び世界の宝へと発展させていければと願ってやみません。

「古代淀江ロマン遺跡回廊」推進会議　共同代表　勝部　日出男

目次

ご挨拶

吹野　博志（推進会議共同代表）

皆さんこんにちは。本日は矢野先生の講演会にご参加いただきありがとうございます。

私は「古代淀江ロマン遺跡回廊」推進会議共同代表の吹野博志と申します。本日の司会進行を務めさせていただきます。

それでは本日ご講演いただく矢野先生のご紹介をさせていただきます。先生は、株式会社文化財保存計画協会代表取締役、そして一般社団法人日本イコモス国内委員会の事務局長、日本遺跡学会の副会長として、全国各地また海外の遺跡の保存修復や整備事業に携わってきておられます。また、淀江の上淀廃寺の復元整備にも関わっておられるということで、淀江の遺跡回廊構想につきましても、ご指導いただきたく、ご講演をお願いした次第です。

それでは矢野先生、よろしくお願いいたします。

矢野　和之先生のプロフィール

㈱文化財保存計画協会　代表取締役
(一社)日本イコモス国内委員会　理事・事務局長

文化財の保存活用の専門家　修復建築家

・文化財調査、保存整備・保存修理の設計監理（史跡、建造物、土木遺産）
・歴史を活かしたまちづくり
・世界遺産の登録支援

著書　『空間流離』　『甦る古墳文化 石室の記録』
『伝統のディテール』
『歴史を未来につなぐまちづくり・みちづくり』等

講演「広域野外博物館と淀江」

矢野　和之先生

1．はじめに

矢野でございます。今日はたくさんの方に聞いていただいてありがたいと思っております。私は熊本県の阿蘇郡生まれです。淀江の背後には、大山という、火山でしかも霊峰が控え、大山の伏流水による湧き水が多いと伺っています。私の田舎も、阿蘇の伏流水がいろんな所で湧き出ていて、淀江と同じようなシチュエーションだなと親近感を抱いております。

それでは、話を始めたいと思います。どうぞよろしくお願いします。先ほどの私の紹介にありましたように、私の専門と言えば、あまり日本の中にはいないと思いますが、文化財の保存活用の仕事をしております。海外で言えば、コンサベーション・アーキテクトであるとかヘリテージ・コンサルタントという名前で呼ばれる職能だと思っています。普通は文化財の調査とか保存修理整備の設計監理を生業《なりわい》としているわけですが、その他にも歴史を活かしたまちづくり、つまり単純に単体の文化財の保存だけではなくて、もっと広域の保存活用の調査等もやっています。それから、世界遺産の登録支援をやっています。プロフィールに私の著書が書いてありますが、そこにある『空間流離』、『甦る古墳文化』、『伝統のディテール』の3冊は、淀江と関係あるのでここに出しております（図1）。たとえば、私はもともと建築の出身で、建築の歴史を研究する人間ですが、大学の研究では石造に興味を持ちました。日本の石造を研究するには、古墳の横穴式石室を避けて通れない。それで、若い時に全国の古墳を見てまわりました。後で紹介しますが、淀江にも若い時に来ております。『空間流離』と『甦る古墳文化』はもう絶版になっておりますが、古墳の石室について紹介しております（図2）。また、『伝統のディテール』は去年の終わりごろ改訂第二版を出しました。なぜこの本を紹介したかというと、後で出てきますが、例えば淀江の上淀廃寺の復元を考える時に、こういう古建築の細かいディテールをちゃんと研究しておかないと絵が描けないのです。それで、古建築の専門でもあるということで、この本を紹介させてもらいました。

2. 淀江との関わり

先ほど言いましたように、1970年代ですからもう50年くらい前、大学院の時代に横穴式石室の研究の

『99の謎　甦る古墳文化石室の記録』

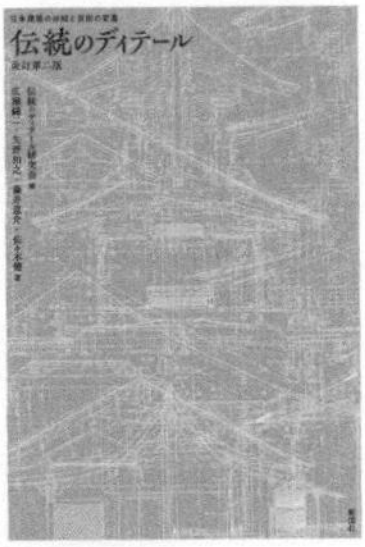

『伝統のディテール』改訂第二版

『空間流離』

図1

井寺古墳天井ドーム

石舞台古墳の石室

図2

ために全国を行脚してまわりました。その時に、淀江の石馬と向山古墳群の岩屋古墳（図３）を見たくて立ち寄っています。この時期は、学生ですからお金がないので、車で全国を行脚して、８割は車の中で泊まって、たまにお風呂に入るためにお風呂屋さんに行くぐらいですかね。大学院時代に何人かの学部生を引き連れて、いろんなところを見てまわりました。ここ淀江に寄った時にはもう夜になってしまって、ちょっと夕ご飯でも食べようかということで、赤提灯に寄ってご飯を食べたのですが、その時に横にいた客の方から「君たち、何しに来たんだ？」と言われました。それで、こういう研究をやっているんだと言ったら、車で寝泊まりするのは大変だろうといって、おそらく淀江の小学校か中学校かよく覚えてないんですが、今日はちょうど当直だから一緒に来いと言われ、体育館で寝ていいよということで、寝袋は持っておりましたので、そこで寝た経験があります。今でもその親切は忘れられない、いい思い出でございます。

　それから、１９９８年に妻木《むき》晩田《ばんだ》遺跡の保存運動のシンポジウムにパネリスト

私と淀江の関わり

1970年代（大学院生時代）
- 横穴式石室の研究のため九州から東北まで全国を行脚
- この時、石馬や向山古墳群の岩屋古墳を見に淀江に立ち寄る

1998年
- 妻木晩田遺跡の保存・活用に関してアドバイス

1999年～2012年
- 上淀廃寺跡の保存整備
- 淀江町歴史民俗資料館の増築設計
- 上淀廃寺跡金堂内部の復元設計

野外博物館との関わり

史跡系
- 1979～1982年　久保泉丸山遺跡（佐賀県）
- 1982年　釈迦堂遺跡博物館構想（山梨県）
- 1984年　「コンセルボ」 特集 野外博物館
- 1998年　交河故城マスタープラン（中国）

地域系
- 1988年　歴史回廊都市くまもと（熊本県熊本市）
- 1990年　心のふるさと六合村構想（群馬県）
- 1994年　嬬恋村風土博物館構想（群馬県）

その他
- 2004年　『史跡整備のてびき』地域における文化財広域整備計画
- 2008年　文化財総合把握モデル事業
- 2009年　歴史文化基本構想
- 2018年　文化財保存活用地域計画

表１

として出していただきまして、全体の淀江の遺跡整備はどうあるべきかということをお話ししました。その時に作成した資料は、私は忘れていたのですが、そのシンポジウムを主催した佐古和枝さんから頂きまして、最後にご紹介します。

その後に、上淀廃寺《かみよどはいじ》跡の保存整備にも関わりました。淀江町立歴史民俗資料館の増築リニューアルで「上淀白鳳の丘展示館」をつくり、展示館の中に上淀廃寺の金堂内部を実物大で復元することになりました。それを設計するということで、楽しませていただきました。

図３　岩屋古墳（1970年代撮影）

上淀廃寺は、発掘調査の成果によると非常に不思議なお寺でありまして、復元するのはなかなか難しかったのですが、それでもいろいろ得るところがありました。

本日のテーマとしております広域野外博物館とは、単に遺跡公園を作ることではないということは、その当時から遺跡整備の方針として、私の中にありまし

図４　上淀白鳳の丘展示館　実物大の金堂内部

た。実際、そういうコンセプトでいろいろな整備事業をやってきておりますので、そのあたりの経過を、表1をみながらご説明したいと思います。

3．広域野外博物館の取り組み

野外博物館ということを最初に意識したのは、1979年～82年にかけておこなった佐賀県久保泉《くぼいずみ》丸山《まるやま》遺跡という古墳群の移設整備の仕事でした。それから1982年の山梨県の縄文時代の釈迦堂《しゃかどう》遺跡では、もっと広域な発想が必要だということに気づきました。

1984年には、「コンセルボ」という文化財保存計画協会の機関紙で、海外の例も含めて野外博物館とは何ぞやという特集をやりました。それから日本だけではなく、1998年には中国の交河故城のマスタープランを作りました。これはユネスコの仕事だったのですが、当時中国ではまだ遺跡の保存整備のマスタープランを作るという発想はなかったものですから、一から地元の専門家達、学者達といろいろ討論してつくりあげました。私のいろいろな整備理論の上でのマスタープラン作成手法が後に中国の整備に対してかなりの影響を与えたのではないかとひそかに思っております。

それから歴史地区・地域の広域整備といたしましては、1989年に「歴史回廊都市くまもと」を策定しました。これは熊本市から頼まれた仕事で、後でまたご紹介します。それから、1990年の群馬県「心のふるさと六合村構想」です。「六合村」と書いて「くにむら」と読みますが、非常に山奥の村です。それから群馬県の嬬恋村、これは高原野菜（キャベツ）で有名な嬬恋村ですが、ここで都市部ではなく地方を対象とするので、風土博物館というネーミングがいいのではないかということで計画をしたケースがあります。その他に、文化庁が出している『史跡整備のてびき』の中で、いろいろなものを書かせてもらいましたけれども、一つ一つの遺跡の整備計画だけではなくて、広域的な視野においてやる必要があるという意味の文章を必ず書いております。地域における文化財の広域整備を考えるべきだということを例示しています。
その後、２００８年「文化財総合把握モデル事業」、２００９年「歴史文化基本構想」、２０１８年「文化財保存活用地域計画」というように、文化庁の補助事業がどんどん総合的に広域に考える方針となってきました。また、「歴史的風致維持向上計画」などもあります。これは文化庁と国交省と農水省の共同所管事業です。

このように近年、文化財を広域的にとらえる話が一般的になってきました。私が最初にこの広域の話を始めたのは40年前あたりです。それがそのまま参考になっているかどうかはわかりませんが、ある意味では一つの方向性は出せてきたのではないかと思っております。

《事例紹介》

①久《く》保《ぼ》泉《いずみ》丸山《まるやま》遺跡（図５）

先ほど名前をあげました佐賀県の久保泉丸山遺跡は、縄文晩期の支石墓から横穴式石室をもつ古墳時代後期の古墳まで、墓の見本市みたいな状況で、狭い範囲に多種の遺構があった重要な遺跡です。そのまま保存できれば国の史跡になりそうなものでした。ここに高速道路建設が計画され、調査で発見された遺跡です。どうしてもこの位置に道路を通さなくてはならないというのは、遺跡のすぐ横にはサービスエリアが計画されて、すでに広域に土地を買ってあったんですね。ですから、これを動かせないということがありました。遺跡の上に橋をかけて道路を通せばいいではないかという話もありました。しかし、ここはミカン園が多かったものですから、停滞気流の問題があり、ミカン園に影響を与えるので、どうしても遺跡を移築したいということになりました。

私は、この仕事を受けるべきかどうか、悩みました。遺跡の移設がうまくいくのであればそれでいいじゃないかという悪い事例をつくることが一番怖かったんですね。ですから、私の中でいろいろ葛藤があったのですが、他のプラスアルファの価値を生むということを前提とすれば、何とかこの仕事をやって結果を出そうというふうに考えました。そして、ここで「野外博物館」というものをつくるのだという思いが強まりました。ただし、古墳の横穴石室を丸ごと移したりしていますので、遺跡のオーセンティシィティ（注）は、かなり失われます。けれども、一つ一つの遺構に関してはオーセンティシィティをもって移すということでやりました。それから、台地そのものを復元しました。これについては当時の道路公団がそこまで費用を出すかどうか心配でしたけれども、道路公団は普段からものすごい量の土を移動させているので、これくらいの土量ならたいしたことないということで、交渉にいった佐賀県教育委員会の方が拍子抜けするほどすんなり決まりました。ですから、移築はするけれど、ただでは起きないというようなことをやったわけです。遺跡に設置した説明文は陶板です。ここで初めて本格的にカラーも含めた陶板を使ったということが、記憶に残っていることの一つです。

注：文化遺産におけるオーセンティシティ（authenticity）とは、真実性または真正性と訳されており、本物であることを意味する。イコモスの「ベニス憲章」や「オーセンティシティに関する奈良ドキュメント」、世界遺産の登録指針に明記されている。材料、形態、工法、環境、その他が本物であることをいう。

移設復原前

図５　久保泉丸山遺跡（佐賀県）
『佐賀県文化財調査報告書久保泉丸山遺跡』より

②釈《しゃ》迦《か》堂《どう》遺跡（図6）

それから山梨県の釈迦堂遺跡です。縄文遺跡だけではなくて、屋内博物館があって遺跡の整備があって、まわりの問題があって、それからまちづくりに全部つながらなければいけないということで、計画書を出したわけです。

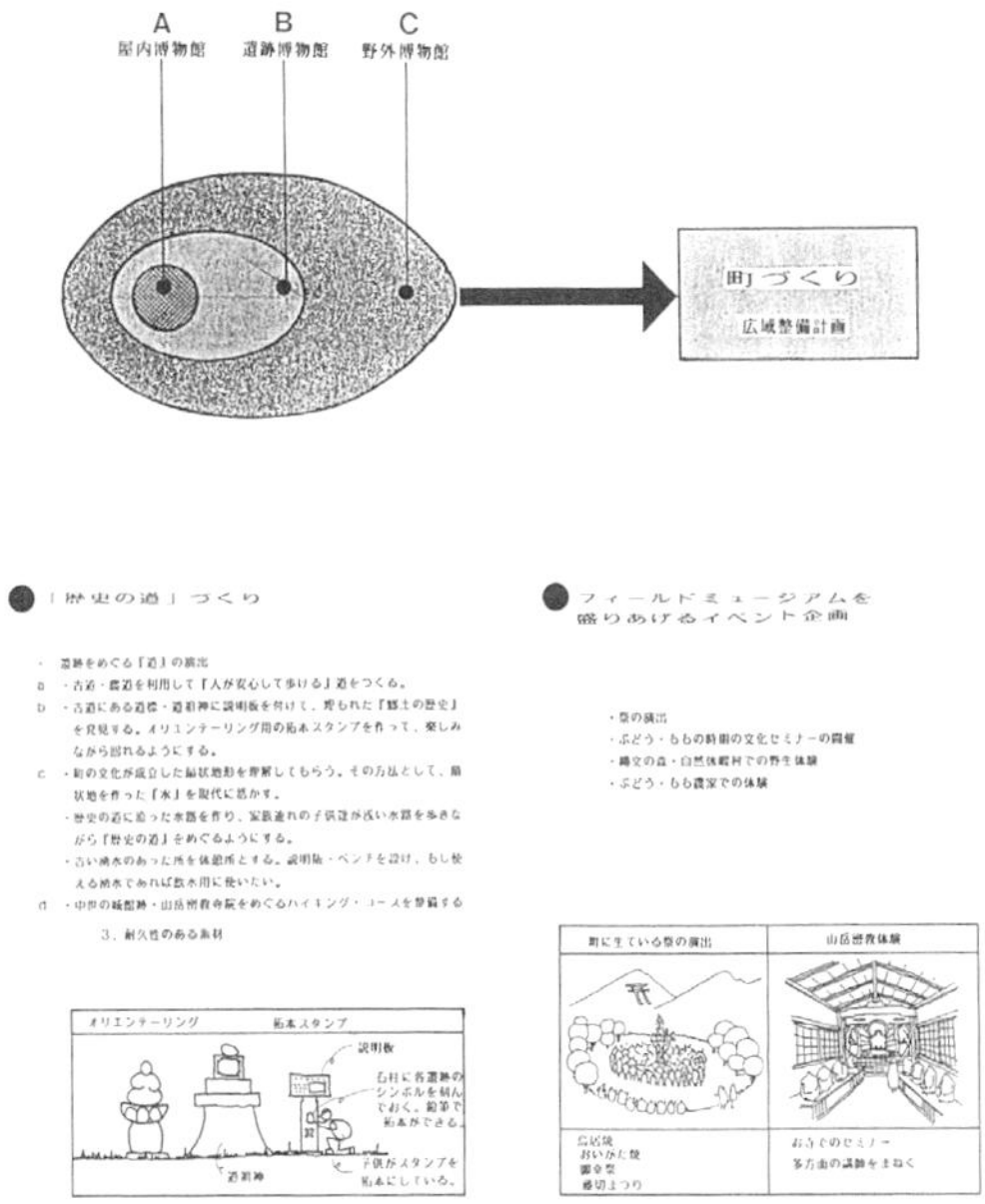

図6　釈迦堂遺跡博物館基本計画（山梨県）

③「コンセルボ」（図7）

それから「コンセルボ」です。「コンセルボ」って妙な名前だなとお思いでしょうが、ちょっとお年寄りの方はご存じだと思いますが、エスペラントってありましたよね。戦前から終戦直後くらいまで一種の運動体として活動した中での世界共通語で、ラテン語をベースにしております。英語でいうコンサーベーションconservation（保護、保存）を、ちょっとカッコつけてエスペラントでコンセルボと名付けたものです。当時はうちの文化財保存計画協会もそれほど規模は大きくなかったのですが、かなり無理をして出版していました。その中でも、野外博物館の特集を企画し、当時のかなり著名な方々にも書いてもらったところ、とても大きな反響がありました。野外博物館とは、たとえば史跡を整備するにしても、単に史跡公園を作るのではなくて、野外の博物館になるということで設計をし、そういう方針を堅持していくということになります。ですから、最初の理念的なものが何かということが非常に重要だと思います。

④中国交《こう》河《が》故《こ》城《じょう》（図8）

中国では、何をどうしてどうするかという基本計画、マスタープランを作るということが一般的ではありませんでした。交河故城は、5世紀ごろの仏教遺跡で、都市遺跡もあります。河が交わる断崖絶壁の上にあります。これもユネスコの仕事ですが、原資は日本から出ています（ユネスコ日本信託基金）。広大な遺跡ですから、少しのお金で全部を保存整備ができることではないのですけれど、きちんとマスタープランを作ろうということになりました。次頁に、西北小寺院という建物の修復前の写真が出ています。これを全面的に復元したいと現地の要請もあったのですが、それは待てよと。それでは、遺跡の景観がだめになるので、下の入口部分にある博物館のエリアにきちんと復元しようということで、右下の写真のような復元建物を造っています。内部の壁画や彫刻なども専門職人が来てやりました。ですから、遺跡景観を重視しながら、左下の写真のような遺跡だけでは、元々どのような建物であったかということが素人目ではわからないということで、こういう計画をやったわけでございます。

図7　コンセルボ　vol.6　野外博物館
（1984年、文化財保存計画協会発行）

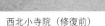

⑤『歴史回廊都市くまもと』（図9）

それから、『歴史回廊都市くまもと』です。「歴史回廊都市」という言い方は、こういう計画では私が最初ではないかと思っています。それはともかく、都市の歴史をもう一回、全部見直そうということで、「重ね図」というものを作っています。今ならコンピュータで全部作れるのですが、私は色鉛筆で昔の絵図を見ながら自分で重ね図を作りました。

西北小寺院（修復前）

西北小寺院　復元展示
（地下室から／仏殿内部）

図８　交河故城マスタープラン（中国・新疆ウイグル自治区）
・都市遺跡

　これをベースにして計画を作ることも提案しました。重ね図を作ったことで、面白いことがいろいろとわかりました。これは幕末の絵図ですが、江戸初期の絵図も出てきておりますので、都市の変化がわかります。ご存じの通り、熊本のまちは加藤清正が作って、寛永期には細川家が入っているということで、ほぼ加藤時代に、まちの骨格が出来上がっています。細川時代には、右の上にこちょこちょとした所がありますが、ほとんどスクロールしているだけということがわかりました。

　また、たとえば昔の町割りの中でいろいろな色分けをしてあります。そうすると、いわゆる上級武士、中級武士、商人町と色分けをしてある所が、そのまま明治時代に小学校区になっています。それが現在も生きているわけです。そういうまちの変遷の様子がこういう重ね図でわかってくる。まず、そういうものをテーマにして、いろいろな整備をやっていったらどうかということを提案しました。

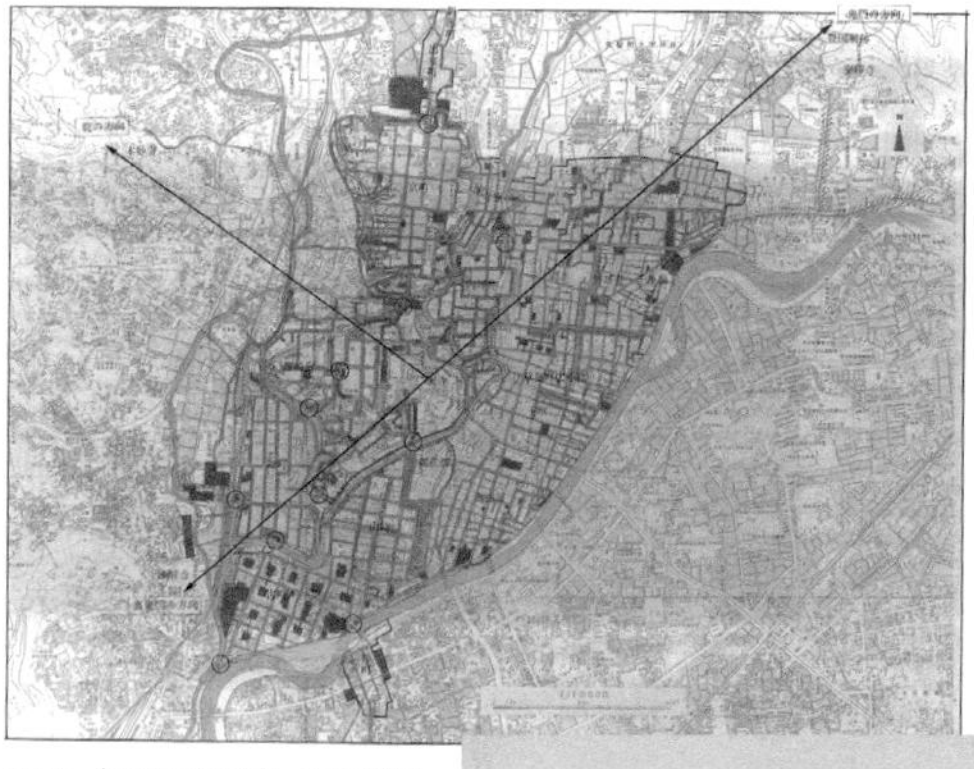

現代（1989年頃）の地図と
幕末の絵図の重ね図

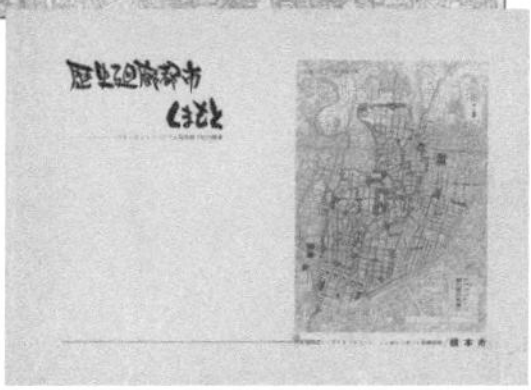

図９　『歴史回廊都市くまもと』

⑥群馬県嬬恋村《つまごい》（図10）

これは嬬恋村の風土博物館です。嬬恋村というのは、江戸時代（天明年間）に浅間山の噴火で火砕流が発生して、鎌原村という地区は一度埋まっているのです。一度消滅した上に再度できた所ですが、火砕流で何mも積もりました、その下で、人骨が出てきています。神社の参道の階段で2人の女性、それも年がちょっと離れた女性の人骨が出土しました。おそらく神社の階段を上ろうとして力尽きた、というようなことが見てとれます。骨格からすると、どうも親子ではなくて、嫁と姑かとか、いろいろな憶測ができるのですが、一生懸命お姑さん（？）を背負って、高台の神社の上まで行けば何とか助かるだろうと行かれたのでしょうけれど、途中で力尽きた。そういう物語とか、ここは高原野菜の嬬恋村であり街道筋なので、自然と文化がどのように交差しているかというようなことで、これは風土博物館というネーミング、そういう方針でやろうとしたケースです。

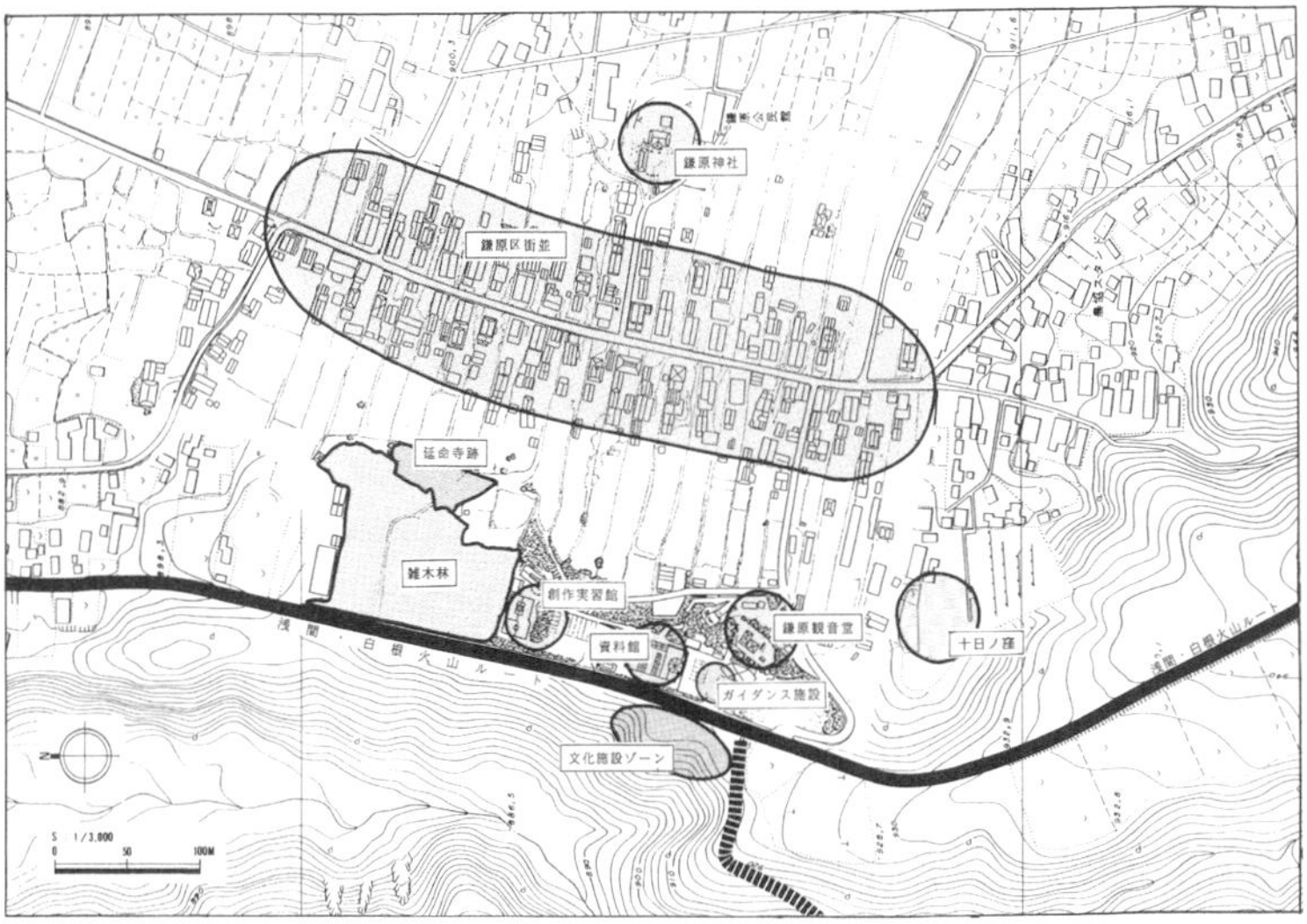

図10　嬬恋村風土博物館構想（群馬県嬬恋村、H7）
鎌原地区全体図

⑦広域の史跡整備（図11）

これは、『史跡整備のてびき』のなかに私が書いた図ですが、史跡整備を単独で整備する時には、必ず他の遺跡の整備と、この地域全体がどういうストーリーでできているのか、つまり空間的時間的整備をしたうえでやるべきだということを、史跡整備の手引きの中に入れていただきました。

それから「歴史文化基本構想」は、文化庁の補助事業でかなりの自治体が取り組んでいます。これは加賀市の例です。この「歴史文化基本構想」の前に、「文化財総合把握モデル事業」がありました。これはたしか１００％の補助がでました。その後、「歴史文化基本構想」を全国に作っていった。それがさらに今は「文化財保存活用地域計画」になりました。昨年、文化財保護法を改正して、「地域計画」を各地域に作ってもらうという方向に流れていくわけです。ですから、遺跡整備を広域でとらえるという取り組みは、このように20年30年の流れの中で出てきたことなのです。

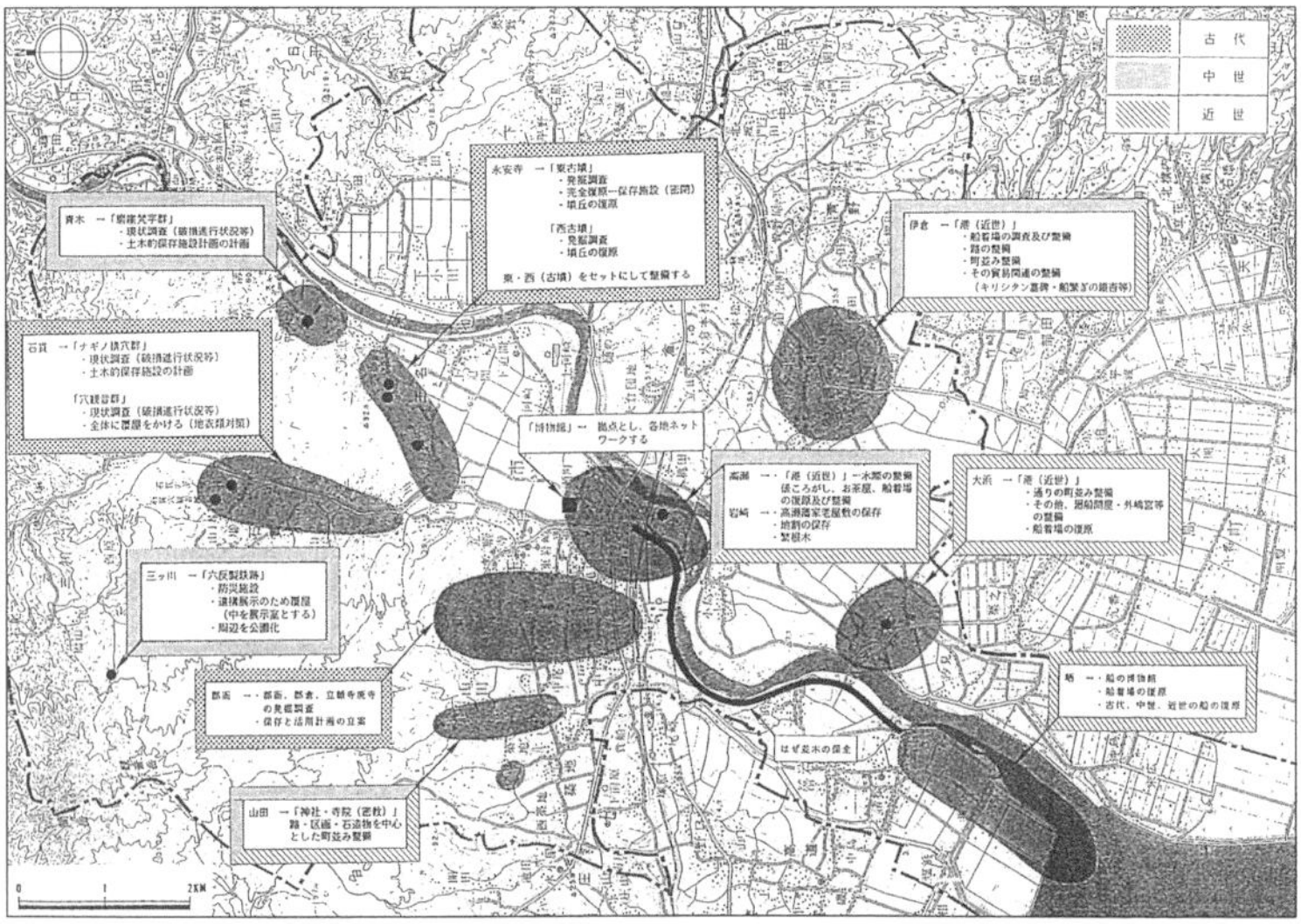

図11　文化財広域整備計画を策定する場合の設定と地区区分（熊本県玉名市）
文化庁『史跡整備のてびき』より

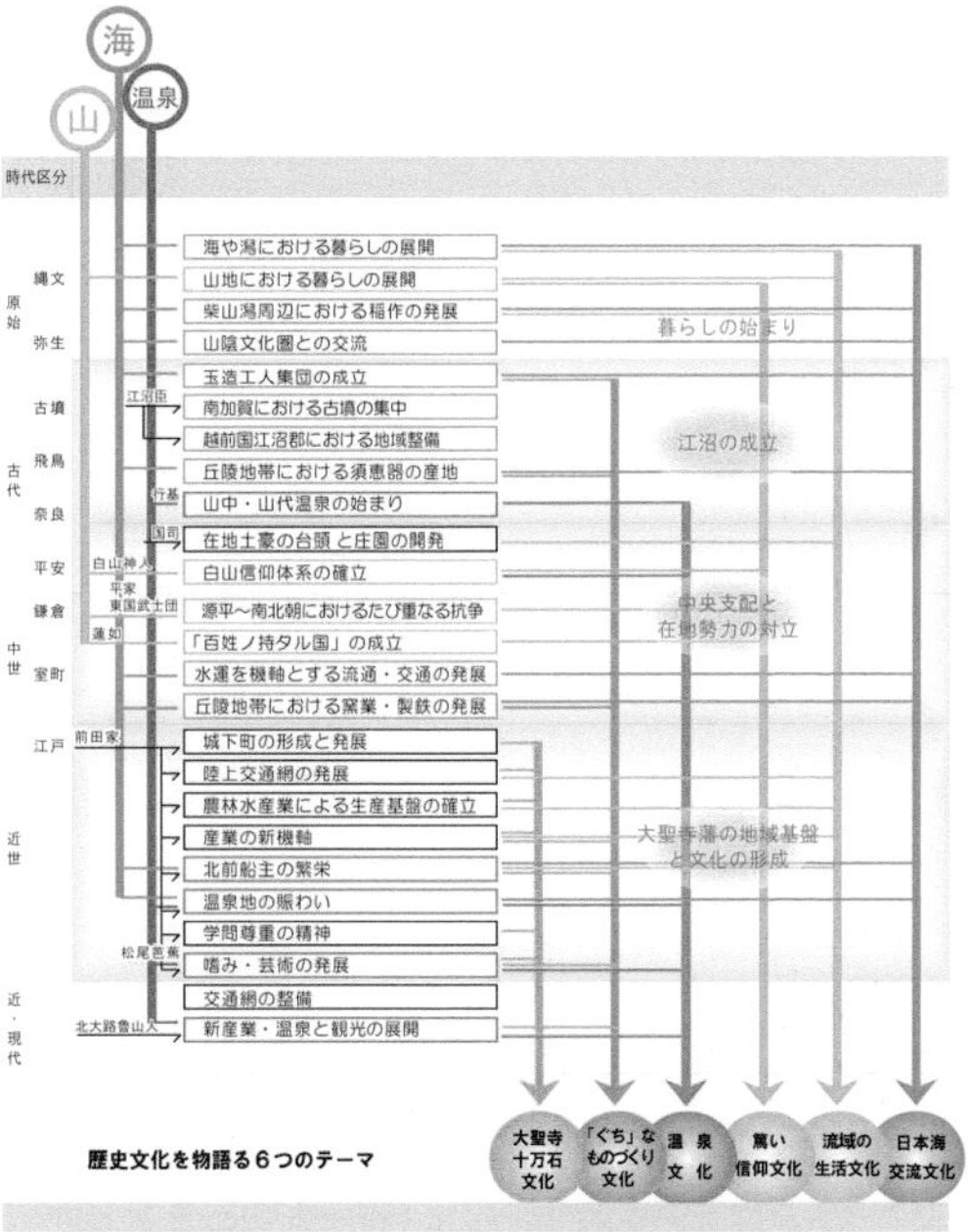

図12　加賀市歴史文化基本構想（石川県）
加賀市の歴史文化に底流するテーマの抽出

⑧加賀市歴史文化基本構想（図12、図13）

一例ですが、加賀市の場合は、古墳時代を表したもので、いろいろな時代を重ねていくという作業をした中でテーマを整理していくと、たとえば加賀藩十万石のいろいろな歴史・信仰・文化があります。淀江には大山がありますが、ここには白山があったり、いろんなテーマに集約できるだろう。そのテーマごとに整備計画を作ったらどうかということがあります。こういう流れが全国的に出てきたということです。

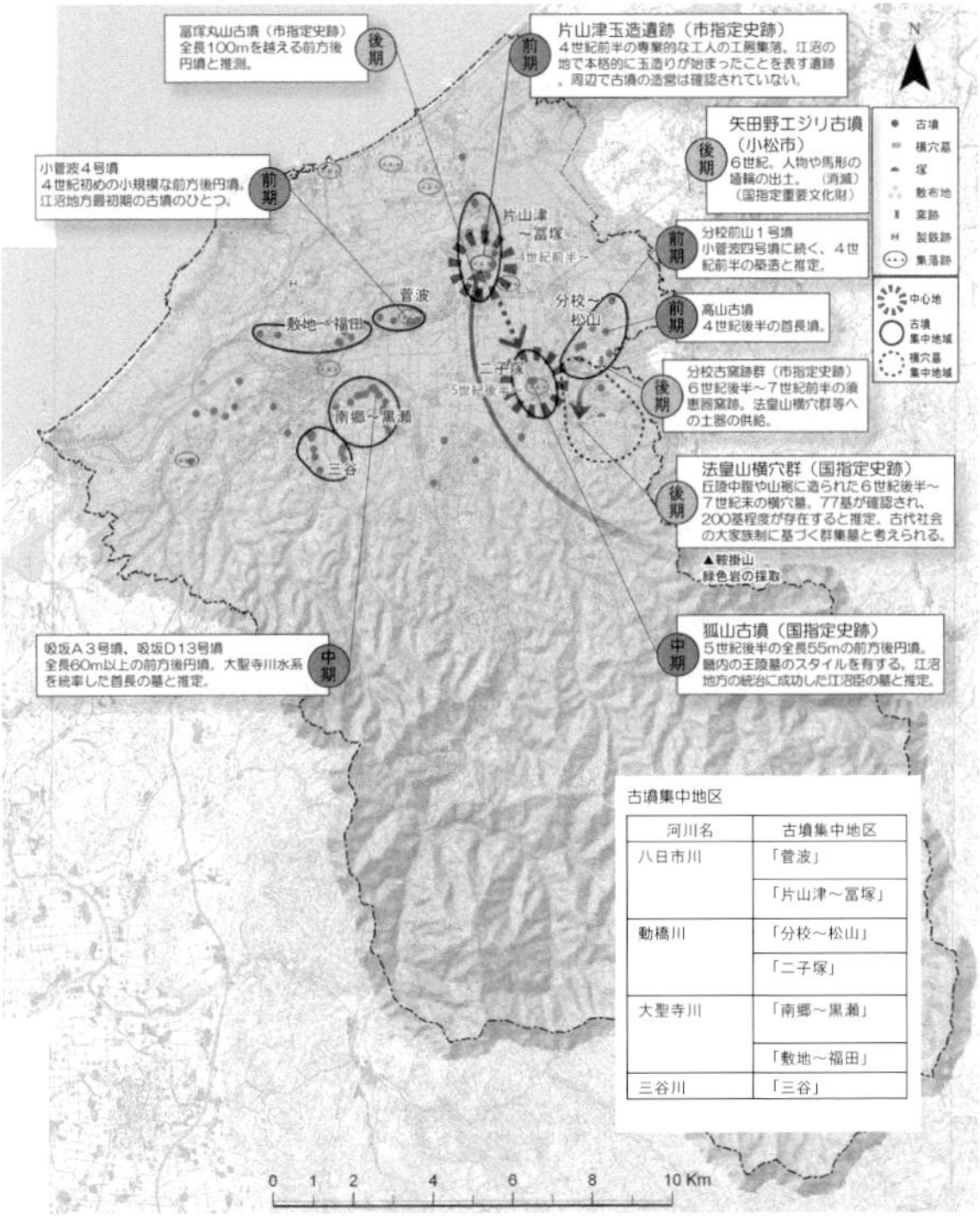

富塚丸山古墳（市指定史跡）
全長100mを越える前方後円墳と推測。
後期
片山津玉造遺跡（市指定史跡）
４世紀前半の専業的な工人の工房集落。江沼の地で本格的に玉造りが始まったことを表す遺跡。周辺で古墳の造営は確認されていない。
前期
N
矢田野エジリ古墳（小松市）
６世紀。人物や馬形の埴輪の出土。（消滅）（国指定重要文化財）
後期
古墳
横穴墓
塚
散布地
窯跡
製鉄跡
集落跡
小菅波４号墳
４世紀初めの小規模な前方後円墳。江沼地方最初期の古墳のひとつ。
前期
片山津〜冨塚
4世紀前半〜
分校前山１号墳
小菅波四号墳に続く、４世紀前半の築造と推定。
前期
菅波
敷地〜福田
分校〜松山
高山古墳
４世紀後半の首長墳。
前期
中心地
古墳集中地域
横穴墓集中地域
二子塚
5世紀後半〜
南郷〜黒瀬
三谷
分校古窯跡群（市指定史跡）
６世紀後半〜７世紀前半の須恵器窯跡。法皇山横穴群等への土器の供給。
後期
法皇山横穴群（国指定史跡）
丘陵中腹や山裾に造られた６世紀後半〜７世紀末の横穴墓。77基が確認され、200基程度が存在すると推定。古代社会の大家族制に基づく群集墓と考えられる。
後期
▲鞍掛山
緑色岩の採取
吸坂Ａ３号墳、吸坂Ｄ13号墳
全長60m以上の前方後円墳。大聖寺川水系を統率した首長の墓と推定。
中期
狐山古墳（国指定史跡）
５世紀後半の全長55mの前方後円墳。畿内の王陵墓のスタイルを有する。江沼地方の統治に成功した江沼臣の墓と推定。
中期
古墳集中地区
河川名 古墳集中地区
八日市川 「菅波」 「片山津〜冨塚」
動橋川 「分校〜松山」 「二子塚」
大聖寺川 「南郷〜黒瀬」 「敷地〜福田」
三谷川 「三谷」
0 1 2 4 6 8 10 Km

図13　加賀市歴史文化基本構想（石川県）
古墳時代における遺跡の分布と変遷

⑨エコミュージアム構想（図14、図15）

次に海外の事例です。今回、エコミュージアムという名前を使っておりますが、こういう発想をするのはフランス人の特徴なのですかね。エコミュージアムとは、「ある一定の文化圏を構成する地域の人々の生活と自然・文化及び生活環境の発展過程を史的に研究し、それらの遺産を現地において保存、育成、展示することによって、当該地域社会の発展に寄与することを目的とする野外博物館」のことです。博物館という名が独り歩きするとまずいのですが、これはほとんど先に述べた文化庁の「地域計画」ですよね。「地域計画」は、そういう発想で提案されているということです。エコミュージアムは1972年ごろ提案されて、発展的定義というのは1980年ごろ、日本には1995年ごろに新井重三先生が「生活・環境博物館」という名称でやられている。新井先生とは私も交流がありまして、いろいろ情報交換をした覚えがあります。
　その時に新井先生と一緒にやったことですが、整理するとこうなるだろうということを図15に書いています。まず左の図は、建物を中心とした展示で、屋内展示と野外展示がある。これは小さなエリアで、博物館という建物の屋内とその外に博物館内に入りきらないものを野外展示するというものですね。それから右の図は、野外を中心とした展示、野外そのものに展示す

海外の動向

1972年　エコミュージアム提案

> エコミュージアム：
> ある一定の文化圏を構成する地域の人びとの生活と、
> その自然、文化および社会環境の発展過程を史的に研究し、
> それらの遺産を現地において保存、育成、展示することによって、
> 当該地域社会の発展に寄与することを目的とする野外博物館

1980年　エコミュージアムの発展的定義
　　　　アンリ・リビエール

1995年頃　日本への紹介　新井重三
　　　　「生活・環境博物館」

図14

野外展示型と現地保存型の野外博物館

〈展示方法による分類〉

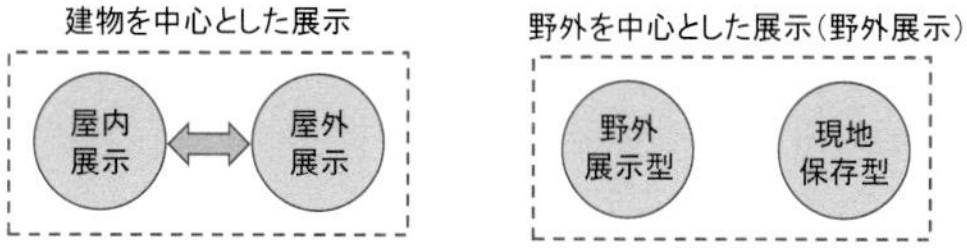

〈展示方法による分類〉

野外博物館	野外展示型		Open Air Museum
	現地保存型	歴史系	Site Museum Old Town Museum Memorial Museum
		自然史系	Field Museum Trailside Museum

図15

る。これは野外展示型と現地保存型があるということです。野外展示型はオープン・エア・ミュージアムといいます。それと現地保存型があって、歴史系と自然系がある。歴史系としてサイト・ミュージアム、これは遺跡そのものを展示とみなす博物館で、遺跡の整備と関係するものです。オールド・タウン・ミュージアム、これは日本の伝統的建造物群にあたりますね。あとは偉人の家などをミュージアムにするメモリアル・ミュージアムがあります。それから自然系としてはフィールド・ミュージアム。フィールド・ミュージアムという名称はいろいろなところで使われますが、本来は自然系の野外博物館のことです。それからトゥレールサイド・ミュージアム、あるルートに沿っていろいろ展示をしていく。これが、新井先生と一緒にやった整理ですね。

⑩スウェーデンのスカンセン野外博物館（**図16**）

有名なスウェーデンのスカンセン野外博物館は、実は１８９１年、19世紀にこの発想でやられ始めているということです。工業化社会になる前のスウェーデンの建物をいろいろな所から集めてきて移築して展示しています。これは、初めてこういったものを国家的に大々的にやった博物館です。伝統技術を動的に展示する鍛冶屋さんがいたりなど、当時の人々の暮らしぶり等をそのままこの中で再現するということで、かなりしっかりやっています。

図16 〔野外展示型〕
スカンセン野外博物館（スウェーデン）

⑪日本民家園（図17、図18）

それと同じようなものに、1967年に開園した神奈川県川崎市の日本民家園があります。民家園というのは、全国にいくつもあります。他に有名なのは、四国の高松市にある四国村で、この2つが相当きちんとやっています。日本民家園には重要文化財が7件、他にも県や市の文化財が18件あります。ですから、ここに行くと、立派な重要文化財がたくさん見学できます。地元で保存できない建造物をやむをえず移築したとい

図17

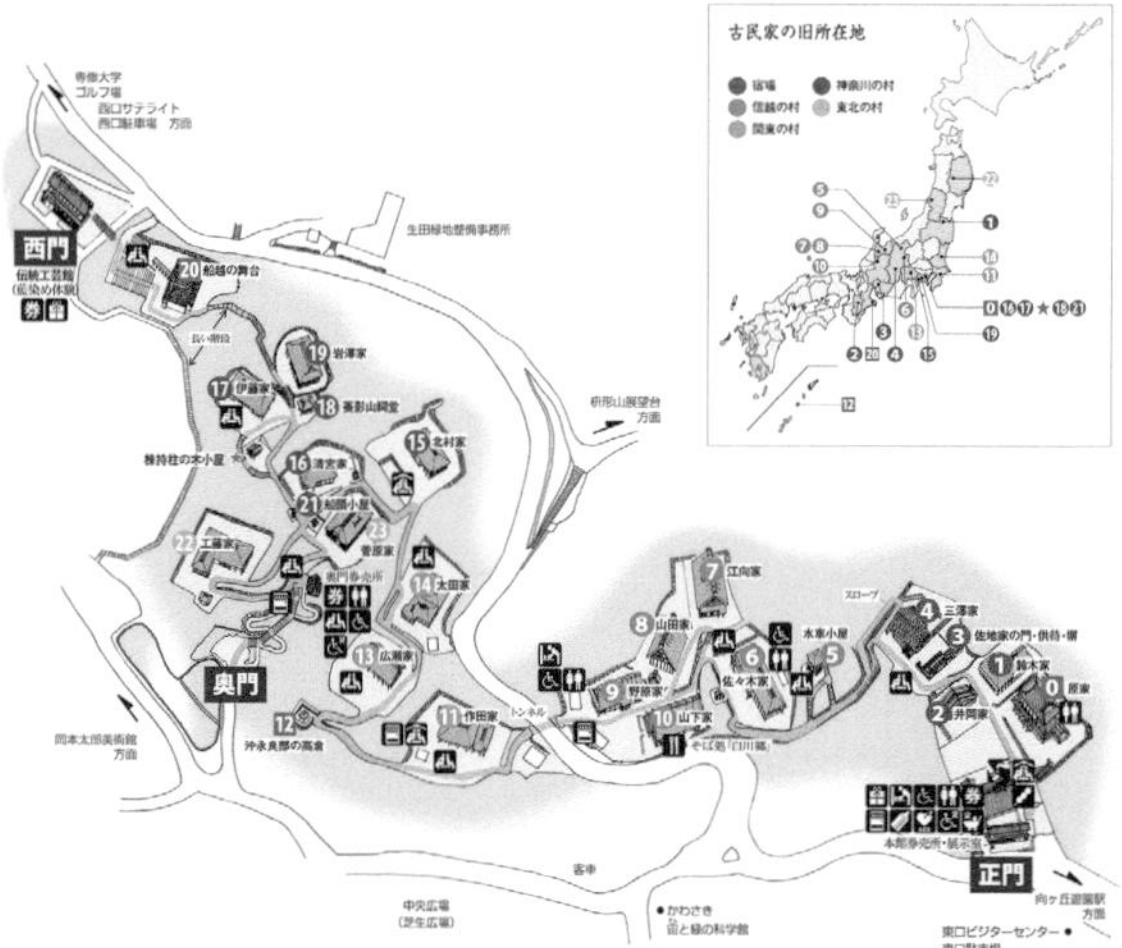

図18　〔野外展示型〕川崎市立日本民家園（神奈川県）
出典：「川崎市立日本民家園公式サイト」（https://www.nihonminkaen.jp/）

うものもあるのですが、日本民家園は、きちんと移築修理されているケースであります。

⑫保渡田《ほどた》古墳群（図19、図20）

それから、これも計画協会の整備設計ですが、群馬県高崎市の保渡田古墳群です。ここには、長軸１００ｍクラスの前方後円墳が３つあります。おそらくこの地域の盟主墳、首長クラスの墓であるということで、整備をすることになったのですが、主体部や墳丘がかなり壊れていたのです。それで、壊れていたのを幸いに、いろいろな仕掛けをしております。そのことは、この「古代淀江ロマン遺跡回廊」推進会議が開催された5月の講演会で水ノ江先生も取り上げられていましたが、実は私のアイデアです。というか、墳丘がかなり壊れていたので、復元するにあたり、この前方後円墳の設計意図は何ぞや、当時の設計プロセスとは何ぞやというところまで深掘りしたうえで、復元する設計図の図面を引いた覚えがあります。そういう研究をやったうえで復元をすることが大事なのであって、研究をせずに何となく復元図を作ったということでは困るわけです。

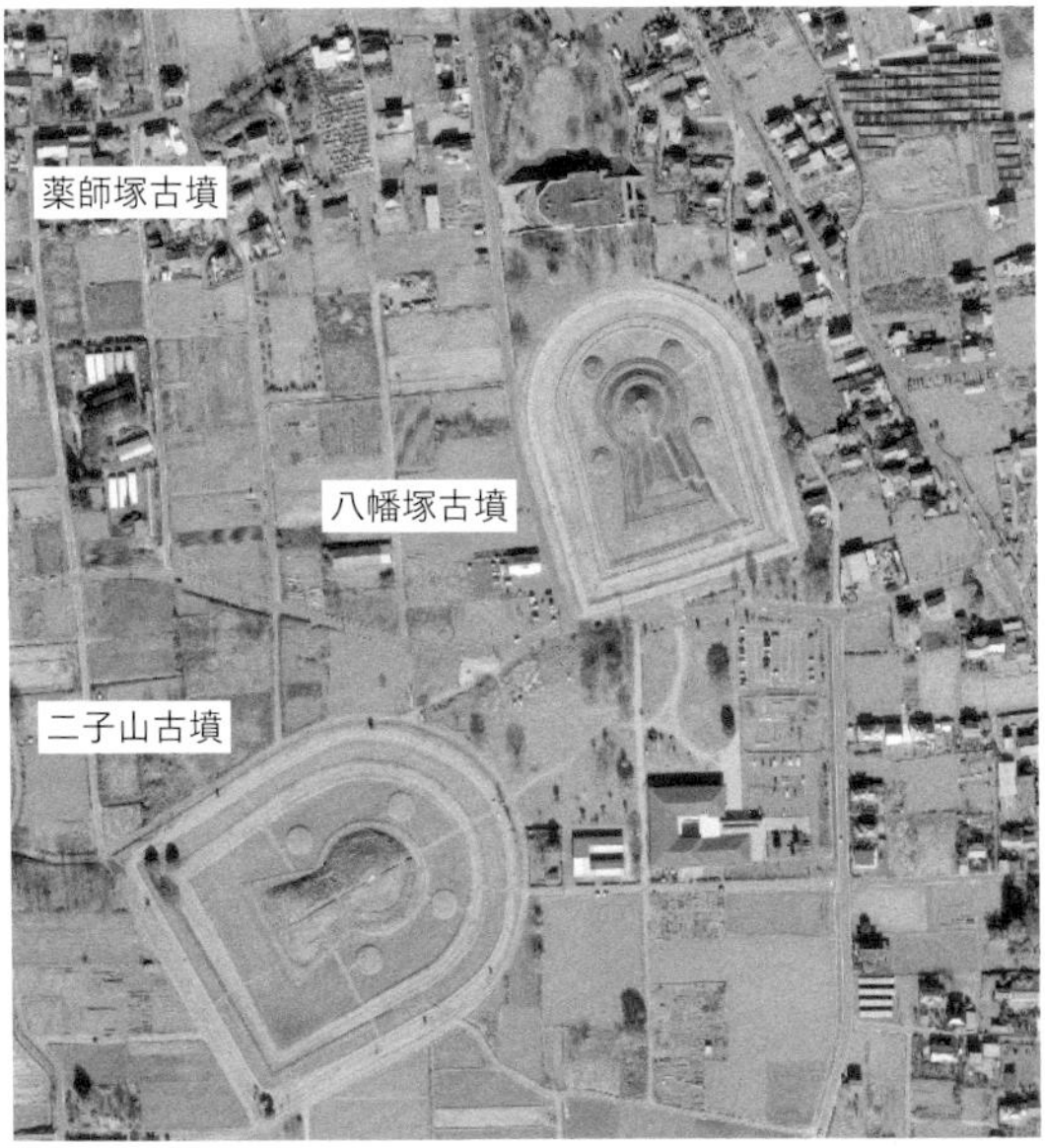

図19　〔現地保存型〕保渡田古墳群（群馬県）
高崎市地図情報サービスの地図を一部修正

⑬秋田県　大湯《おおゆ》環状《かんじょう》列石《れっせき》（図21）

これは、私の仕事ではありませんが、大湯の環状列石はこのたび「北海道と北東北の縄文遺跡群」として、世界遺産になりましたね。ここも結構いい雰囲気になっています。この広々とした中でストーンサークルが見れるということでいい整備だと思います。

図20　〔現地保存型〕保渡田古墳群（群馬県）

⑭秋田県　伊《い》勢《せ》堂《どう》岱《たい》遺跡（図22）

それから、大湯の環状列石のすぐ近くにある伊勢堂

図21　〔現地保存型〕大湯環状列石（秋田県）

岱遺跡も環状列石です。左下の写真をよく見ていただくと、このコンクリートは何だろうとお思いでしょう。実はここに大館能代空港へのアクセス道路を作り始めていたのです。その中でこれだけの遺跡群が出てきたので、工事の途中で計画変更をしたんですね。だから、ちゃんと説明が載っていますけれども、これだけ道路工事の途中だったにも関わらず道路計画を変更して遺跡を保存し、それが世界遺産になったのです。私もいろいろな所で遺跡の保存整備に協力させていただいていますが、このようなケースとして、たとえば今やっているのは静岡県沼津市にある高尾山古墳という全長62mの前方後方墳で、おそらく3世紀前半の卑弥呼の時代につくられた非常に古い古墳です。これは国道246号線が国道1号線へ取りつく直前の場所で発見され、それを残すために片方は地下に通し、それから片一方はオーバーブリッジということで、かなりアクロバッチックな道路設計と構造をとって、何とか残し、史跡指定する直前までこぎつけました。これも、私はこの古墳の整備検討委員だったもので、いろいろなアイデアを出して、現代工法によって何とか残ったということになります。

図22 〔現地保存型〕
伊勢堂岱遺跡（秋田県）

⑮伯耆《ほうき》古代の丘公園（図23、図24）

淀江には、伯耆古代の丘公園がありますね。これは、先ほどの範疇には当てはまらない例です。なぜ当てはまらないかというと、コンセプトがどうもテーマパークみたいなものだからです。もちろん、人を呼ぶとか学習してもらうのはいいことなのですが、先ほど久保泉丸山遺跡のところでお話しましたオーセンティシティ（真実性・ほんものであること）が確保されているわけではない場合は、テーマパーク型と私は呼んでおります。

図23 〔テーマパーク型〕
伯耆古代の丘公園（鳥取県）
出典：「伯耆古代の丘公園」
（http://www.yonagobunka.net）

⑯中国　大明宮含元殿《だいめいきゅうがんげんでん》（図25）

たとえば、これは私が現地指導をおこなった中国の唐の大明宮含元殿です。唐の中でいちばん大きな中心の建物です。上の写真が遺跡を発掘しているところですね。相当緻密な発掘をしてもらって、基壇を復元して整備しました。復元した基壇の中に本物を埋め込んで、これ以上の破損を防ぐという発想でやりました。

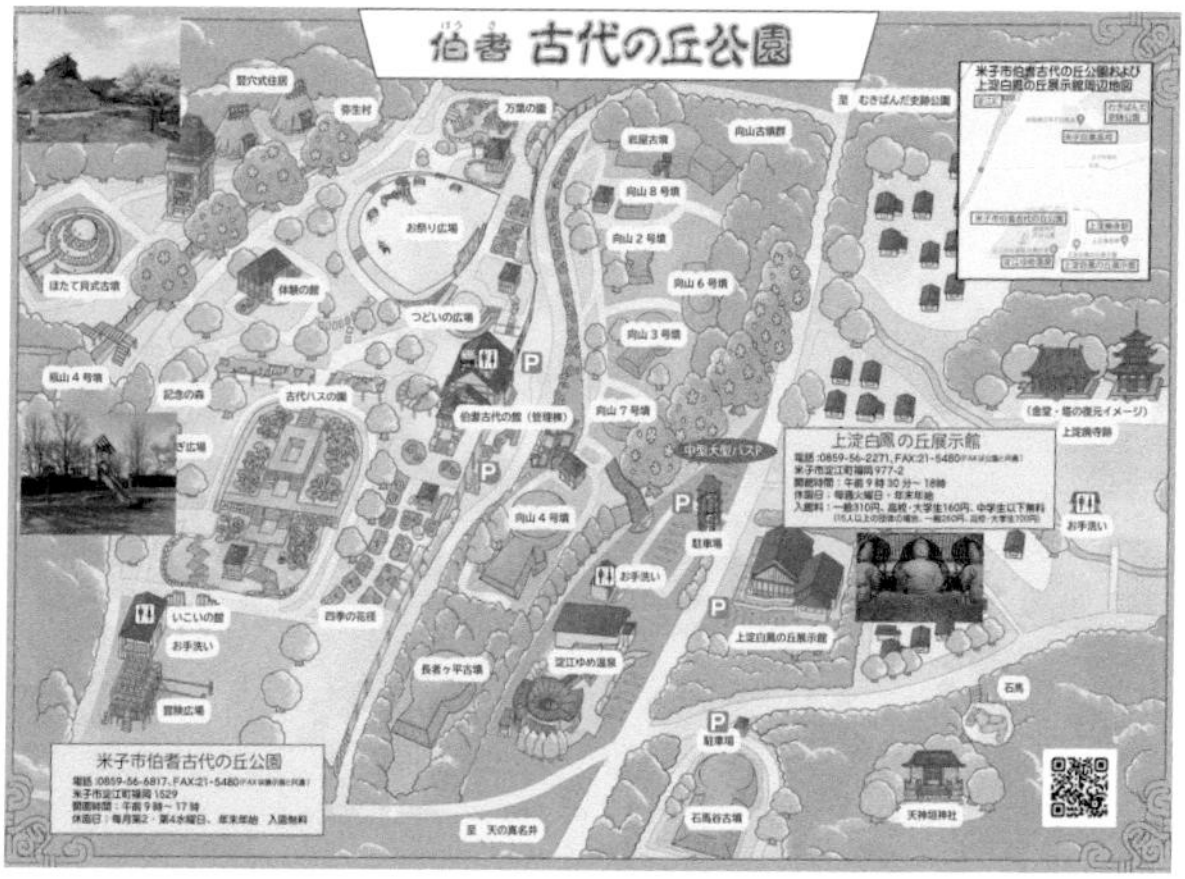

図24 〔テーマパーク型〕伯耆古代の丘公園（鳥取県）
出典：「伯耆古代の丘公園」（http://www.yonagobunka.net）

ところが、このまわりの遺跡はどうするのかということが気になりました。これは日本なら20～30年かかるよねと、日本人の専門家達は言っていました。ところが、2012年、10年もたたないうちに全体整備が竣工しました。右下の写真です。もちろん、基壇はそのまま手を付けずに一角を占めていますが、全体がテーマパークみたいになってしまいました。これは何と評価していいか。

基壇復元工事中（2004年）　公園（2012年撮影）

図25 〔現地保存型／テーマパーク型〕
唐・大明宮含元殿（中国西安市）

　中国の整備のやり方は、面白いところがありまして、この遺跡整備とまわりの開発、たとえば住宅開発などを一緒にやります。そうすると、金銭的にもつぎ込みやすいというのはあるかもしれませんが、日本ではあまりできない話ですね。たとえば、ある史跡があって、そのまわりを一緒に何か開発しましょうということは、ちょっとないですね。だから、そういう意味では、違う文化の発想法ということでもあります。

⑰石川県加賀市　伝統的建造物群（図26）

　ここは、伝統的建造物群に選定をする時に、私がきっかけを作りました。昔、三八豪雪（昭和38年の北陸地方を襲った大豪雪）の後に、当時北陸にたくさんあった離村集落の調査をしました。きれいな所がたくさんあったよなというその時のイメージがあり、その後加

図26 〔現地保存型〕石川県加賀市・大土集落伝統的建造物群保存地区

賀市で仕事した時に、時間があると、そのイメージを求めて再度車でいろいろ見てまわったら、凄いのがある。それほど古い建物ばかりではないのだけれども、環境と建物のあり方に価値があるのではないか。ここは、もともと炭焼きや焼畑を生業にする集落でした。こういうところは、現在でも日本全国ほとんど残っていないのではないかということで、この集落を大学に調査してもらい、重要伝統的建造物地区に選定されて、現地に全部残るようになったということです。これも、現地保存型の野外博物館ですね。

⑱丹波地域恐竜化石フィールド・ミュージアム（図27）

自然系のミュージアムも、それなりにいろいろな仕掛けをしています。これは丹波《たんば》篠山《ささやま》市の丹波地域恐竜化石フィールドミュージアムですが、学習研究コアと学習体験コアがあり、それを中心にいろんなサテライトを作って、全体的にストーリーを組んで残す。そして、それをまた見てもらう。これはもうエコミュージアムと同じ考え方です。

⑲スウェーデンのベリスラーゲン・エコミュージアム

人文系だと有名なのはスウェーデンのベリスラーゲン・エコミュージアムがあります。ここには、製鉄のいろいろな遺跡や遺構が集まっています。いまはもうここで実際に製鉄をおこなう時代ではなくなっている

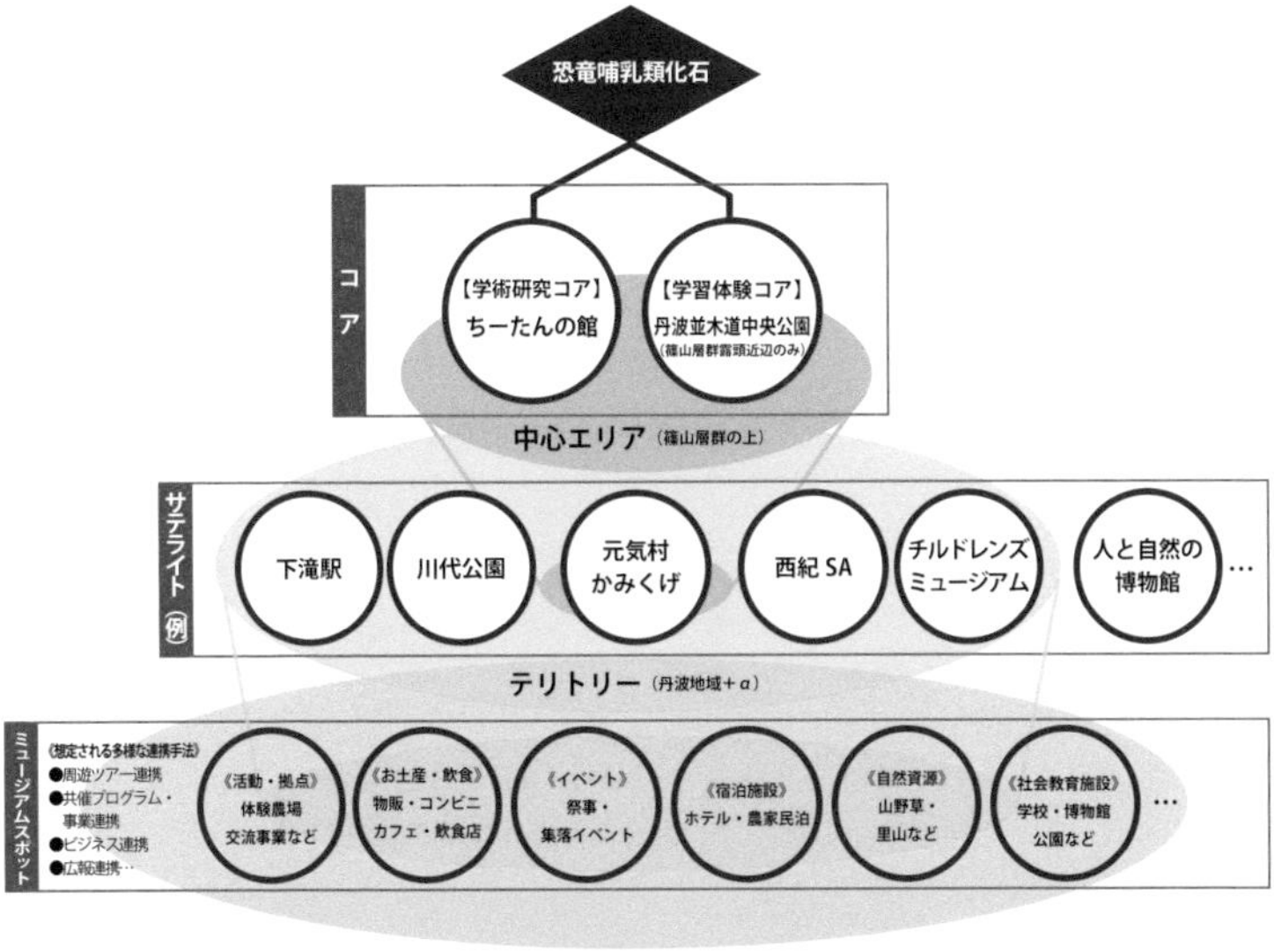

みんなで探す
篠山層群
名所百景［例］

川代渓谷美が見られる福知山線車窓

大書院
篠山層群露頭が見える庭

恐竜の頭の形の石が
出てきた説宗寺

【活動風景】市民や子どもと
共に進める発掘

…

＜図・写真　本フィールドミュージアムの構成要素の模式図＞

図27 〔現地保存型／自然系〕
丹波地域恐竜化石フィールドミュージアム（兵庫県丹波篠山市・丹波市）
出典：「丹波地域恐竜化石フィールドミュージアム推進協議会」（https://tamba-fieldmuseum.com/）

のですが、それを何とか残せないかということで、さっき言ったように一つの中心を作って、中心だけが機能するのではなくていろんなサテライト、いろいろな遺跡・遺構が一緒にありますから、それをうまくネットワークでつないで総合的に見るということで、その一部は世界遺産になっております。エコミュージアムとしては、ちゃんと成功している例になると思います。

⑳山形県　朝日町エコミュージアム（図28）

日本のエコミュージアムのケースとしては朝日町のエコミュージアムがあります。これも、コアがあってサテライトという意味では同じ発想で、いろんなことが体験もできるし見学もできる、それから住民もそういう中で息づくという発想でやられています。

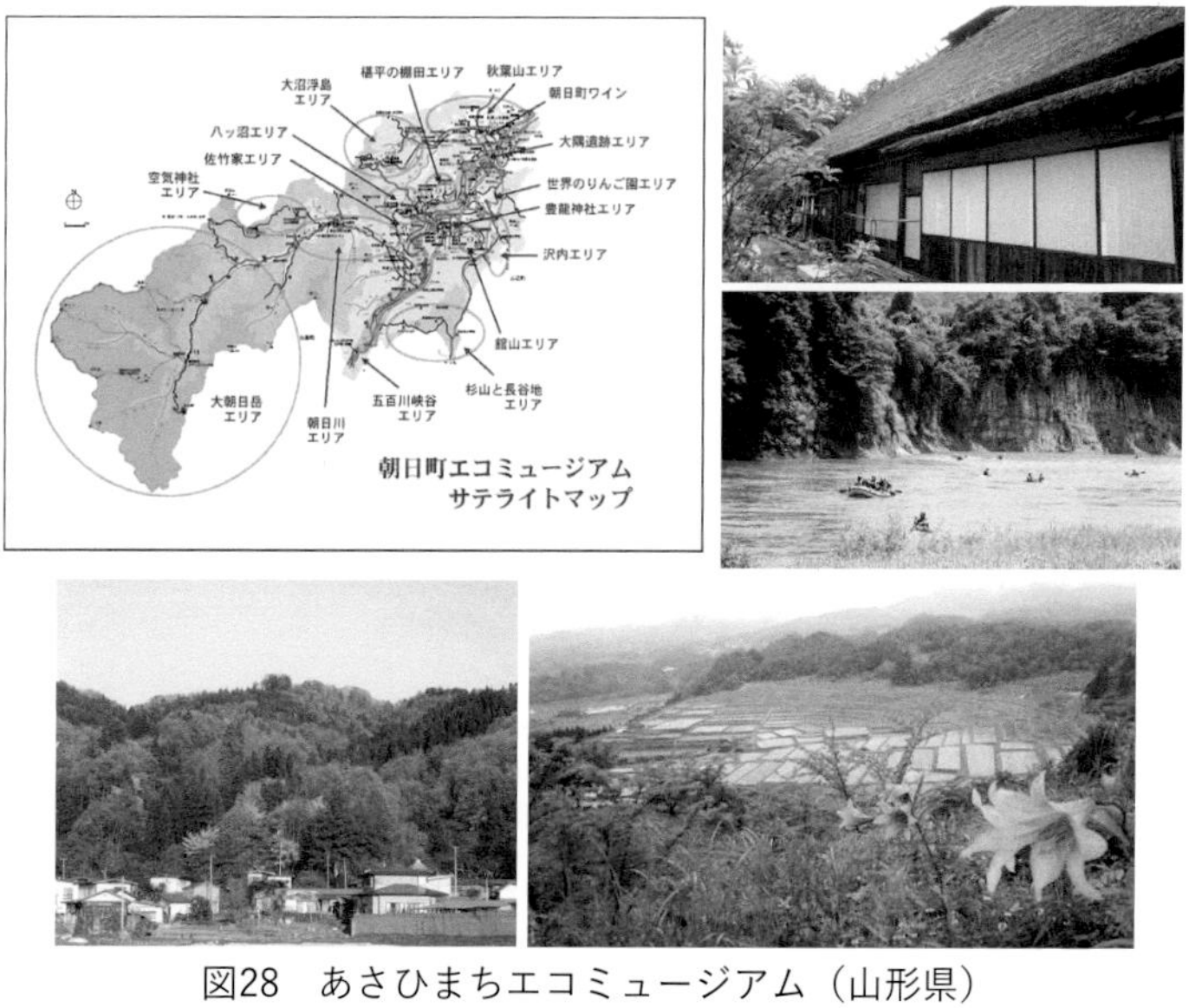

図28　あさひまちエコミュージアム（山形県）
出典：「あさひまちエコミュージアム」（http://asahi-ecom.jp）

4．淀江の歴史・文化・自然の価値

①淀江の価値（図29、図30）

淀江の話に戻ります。淀江の価値としては、やはり縄文時代、弥生時代、古墳時代から白鳳時代に至る原始・古代の遺跡が色濃く残っています。連綿と続く人々の営みがあった地域として、稀有な存在であると言えるのではないか。時代が複層しているし、多様性がある。これは、世界遺産の文化的景観の概念とラップさせてみると、この3つの項目のうちの2つ、2.「人と共に有機的に進化した景観」と、3.「人と自然の強い絆をあらわす景観」に当てはまるのではないか。

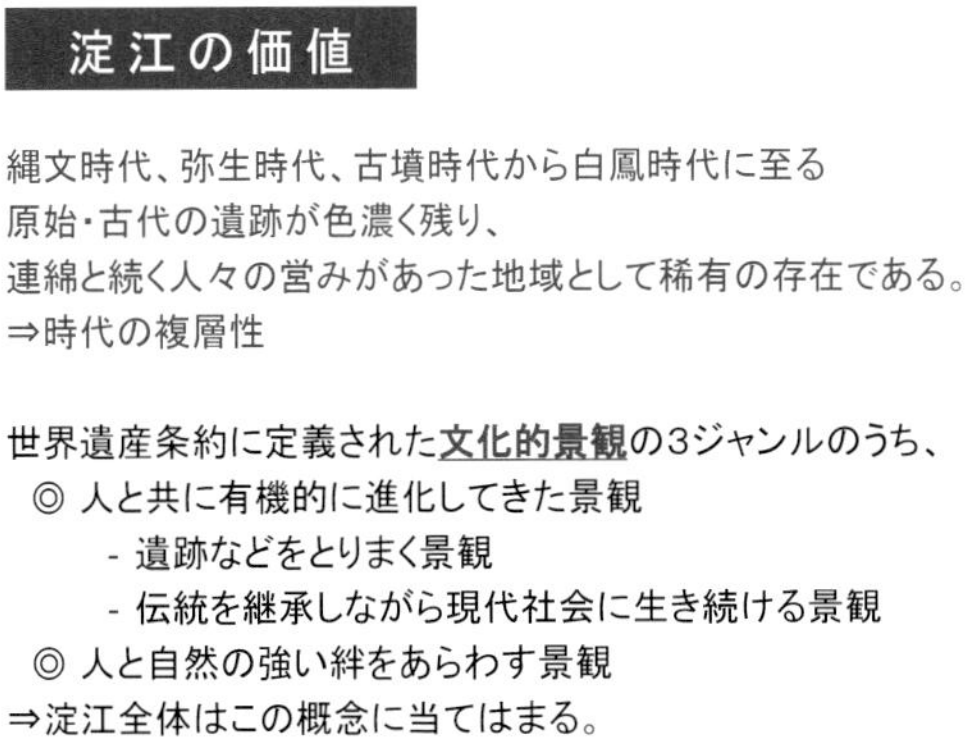
淀江の価値
縄文時代、弥生時代、古墳時代から白鳳時代に至る
原始・古代の遺跡が色濃く残り、
連綿と続く人々の営みがあった地域として稀有の存在である。
⇒時代の複層性
世界遺産条約に定義された文化的景観の3ジャンルのうち、
◎ 人と共に有機的に進化してきた景観
- 遺跡などをとりまく景観
- 伝統を継承しながら現代社会に生き続ける景観
◎ 人と自然の強い絆をあらわす景観
⇒淀江全体はこの概念に当てはまる。

図29

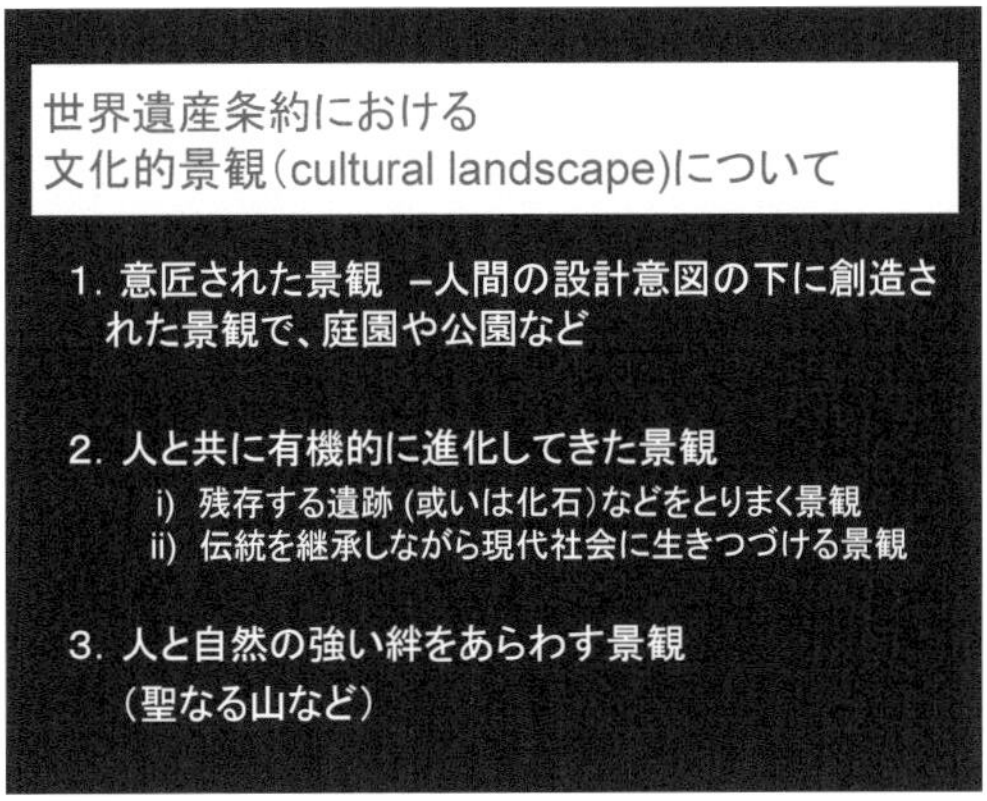
世界遺産条約における
文化的景観(cultural landscape)について
1. 意匠された景観 –人間の設計意図の下に創造された景観で、庭園や公園など
2. 人と共に有機的に進化してきた景観
i) 残存する遺跡 (或いは化石)などをとりまく景観
ii) 伝統を継承しながら現代社会に生きつづける景観
3. 人と自然の強い絆をあらわす景観
(聖なる山など)

図30

1.「意匠された（デザインされた）景観」（図31）は公園とか庭園などですから、淀江には当てはまらない。
2.「人と共に有機的に進化してきた景観」（図32）は、遺跡などを取り巻く景観、それから伝統を継承しながら現代社会に生き続ける景観ということで、これは淀江に当てはまるのではないでしょうか。
3.「人と自然の強い絆をあらわす景観」（図33）は、人と自然の強い絆をあらわす景観です。これは聖なる山、伝統的居住地などということで、オーストラリアのケースです。いろいろなケースがありますが、こう

毛越寺の庭園

図31
1．意匠された（デザインされた）景観
人間の設計意図の下に創造された景観で、庭園や公園など

ｉ）アフガニスタン　バーミヤーン渓谷

図32
2．人と共に有機的に進化してきた景観
ｉ）遺跡（或いは化石）などをとりまく景観
ii）伝統を継承しながら現代社会に生きつづける景観

日本　富士山

図33
3．人と自然の強い絆をあらわす景観
（聖なる山、伝統的居住地など）

いうふうにいろいろな形がある中で、この2と3の概念は十分淀江に当てはまると思います。

②**岩手県一関市　本寺《ほんでら》地区**（図34）

同じようなものとして、これはまだ世界遺産になっておりませんが、岩手県一関市の本寺地区です。これは、中世の絵図の風景がそのまま現代にもほぼ残っているということで、世界的にも非常に重要な価値のあ

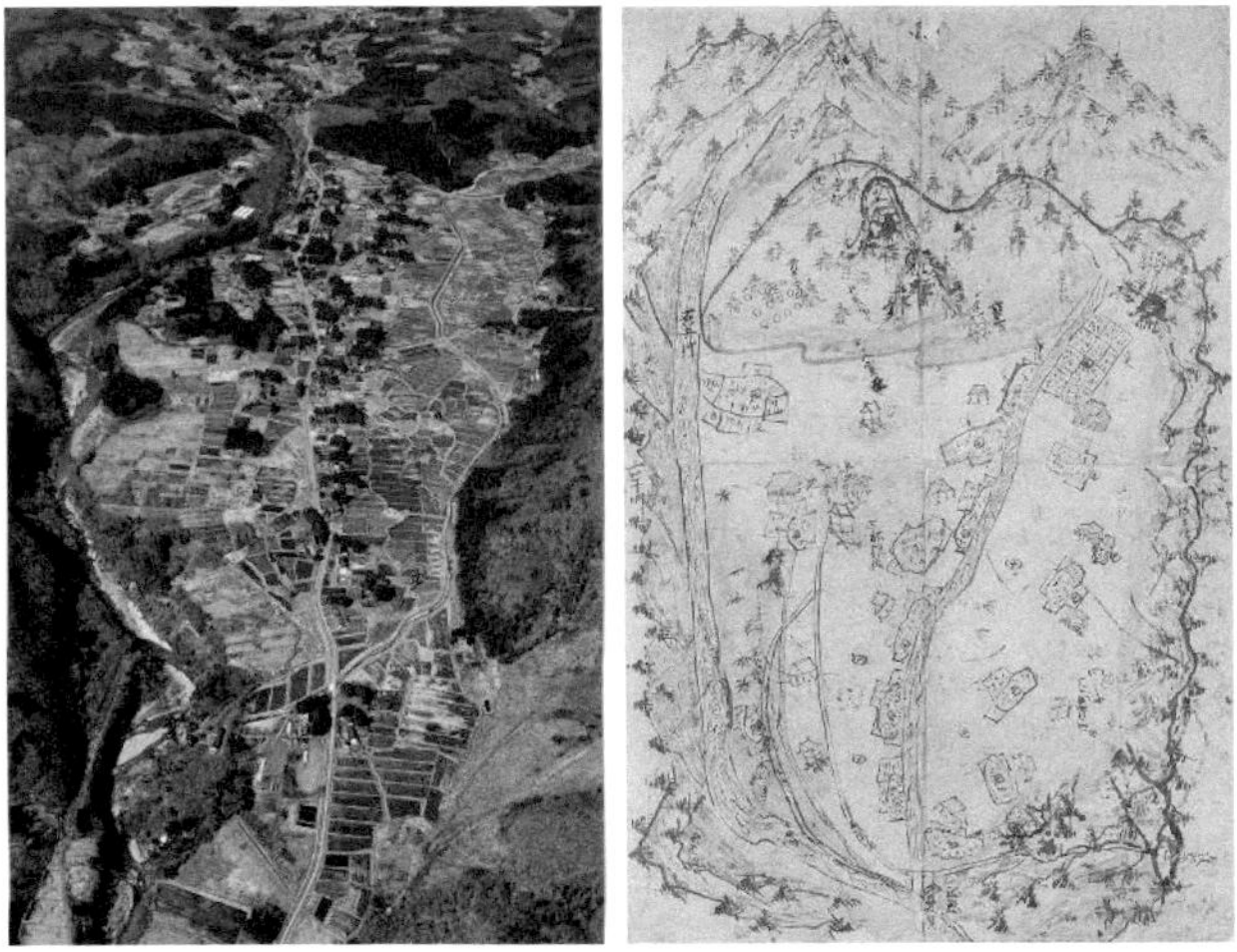
図34　岩手県一関市・本寺地区

る文化的景観であり、中尊寺の荘園の面影が現代に息づいているということになります。

③淀江町の魅力（図35）

淀江の場合も大山、それから丘陵や台地、平地があって、平地の一部はラグーン（潟）の跡だと言われますね。また、大山の伏流水で多くの泉がある。それから河川があって、日本海があるということですね。こういうふうに、要素的には十分あるのではないかということです。

④淀江町　遺跡分布図（図36、図37、図38）

これは、淀江町の遺跡の分布図です。こういうふうに、いろんな時代の遺跡がそれぞれたくさんある。弥生時代は妻木晩田遺跡が中心ですが、それ以外にも多くの遺跡があります。それから古墳時代、本当に古墳が豊富ですね。前方後円墳から円墳、方墳も少しあるみたいで、さらに横穴墓もあります。そういう遺跡が、この平野部とか丘陵部、台地の上に点々と営まれているということは、凄いことですよね。

（写真は『史跡上淀廃寺跡第Ⅰ期保存整備報告書』より転載）

図35

要　素

地形・景観

- 大山
- 丘陵　台地
- 平地（旧ラグーン）
- 泉（天の真名井等）
- 河川
- 日本海

淀江を構成する自然要素

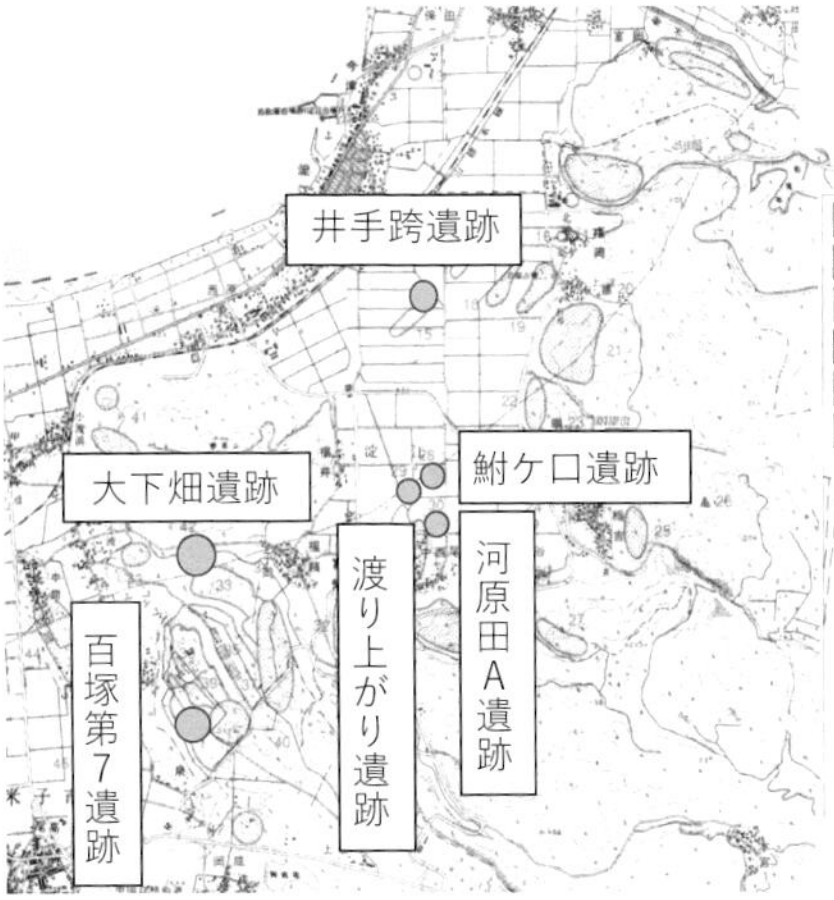
井手跨遺跡
大下畑遺跡
鮒ケ口遺跡
百塚第7遺跡
渡り上がり遺跡
河原田A遺跡

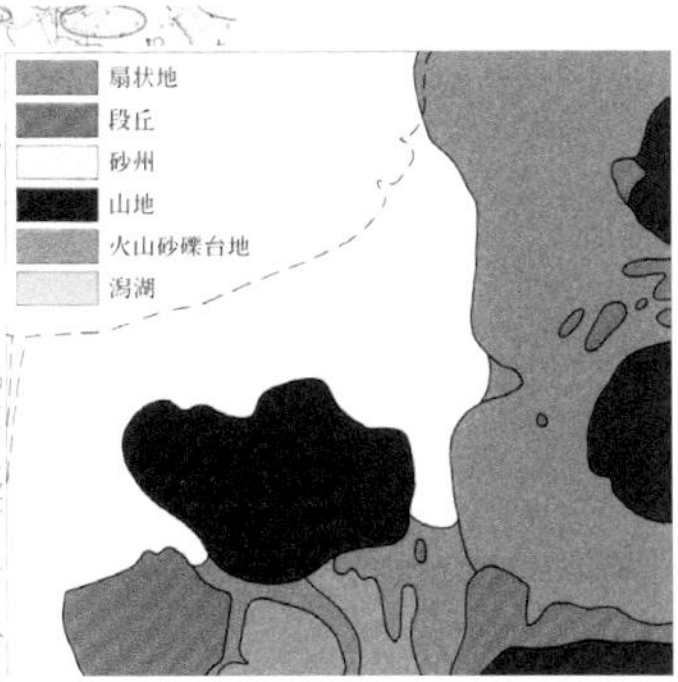
扇状地
段丘
砂州
山地
火山砂礫台地
潟湖

縄文時代前期の淀江の地形復元
(『国史跡妻木晩田整備活用基本計画』鳥取県教育委員会　2003)

図36　縄文時代の淀江

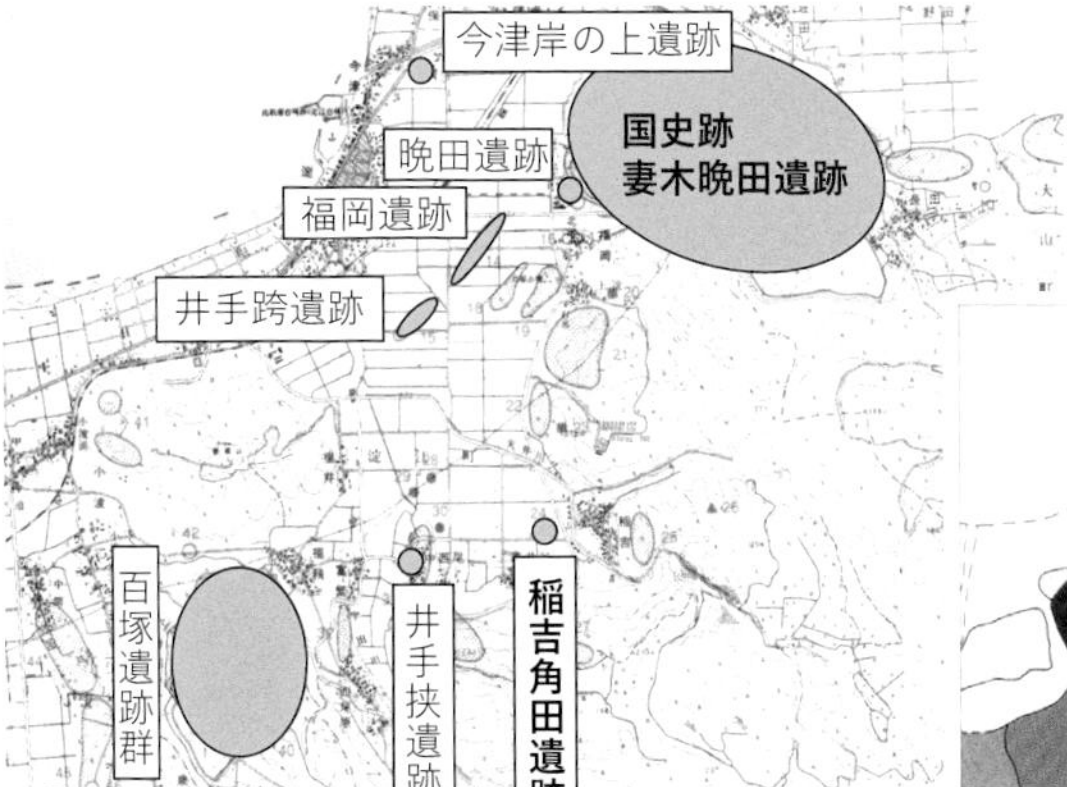
今津岸の上遺跡
国史跡
妻木晩田遺跡
晩田遺跡
福岡遺跡
井手跨遺跡
百塚遺跡群
井手挟遺跡
稲吉角田遺跡

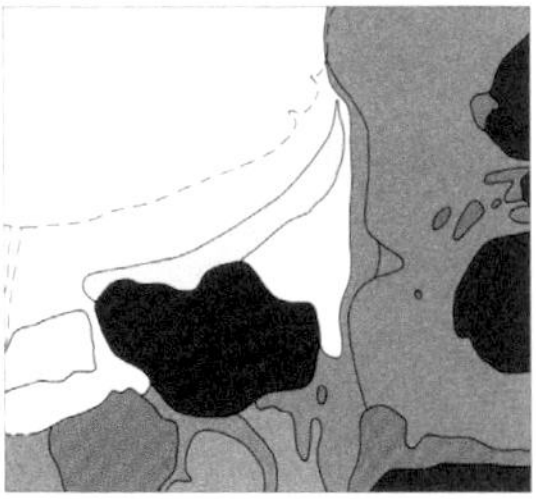

弥生時代の淀江の地形復元(『国史跡妻木晩田整備活用基本計画』鳥取県教育委員会　2003)

図37　弥生時代の淀江

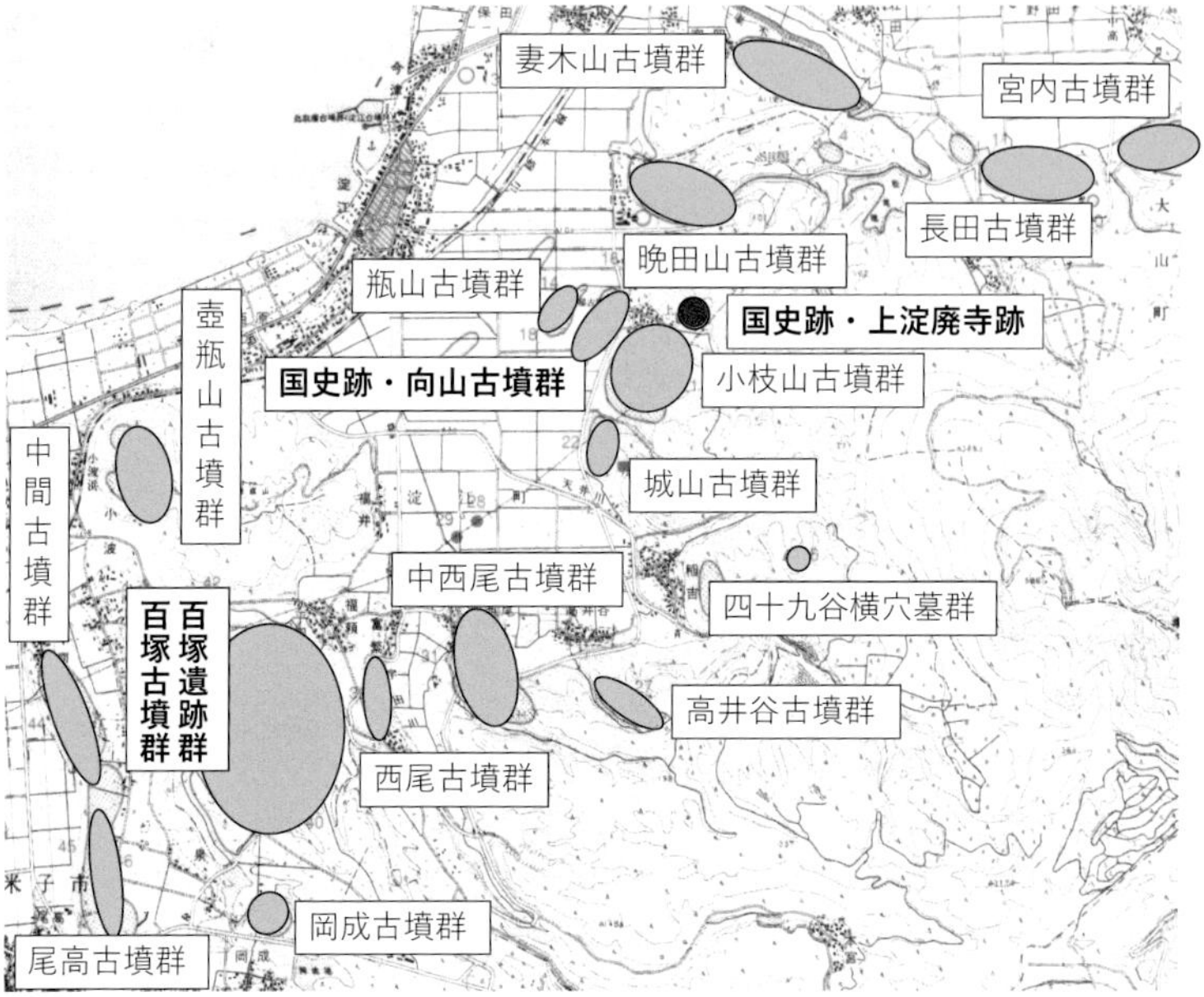

図38　古墳時代から飛鳥・白鳳時代の淀江

向山古墳群（国史跡）

5C後葉から6Cにかけての
16基（指定は14基）の古墳からなる
古墳群。
そのうち、前方後円墳が9基もあり、
この時期の古墳群としては
県内最大級といえる。

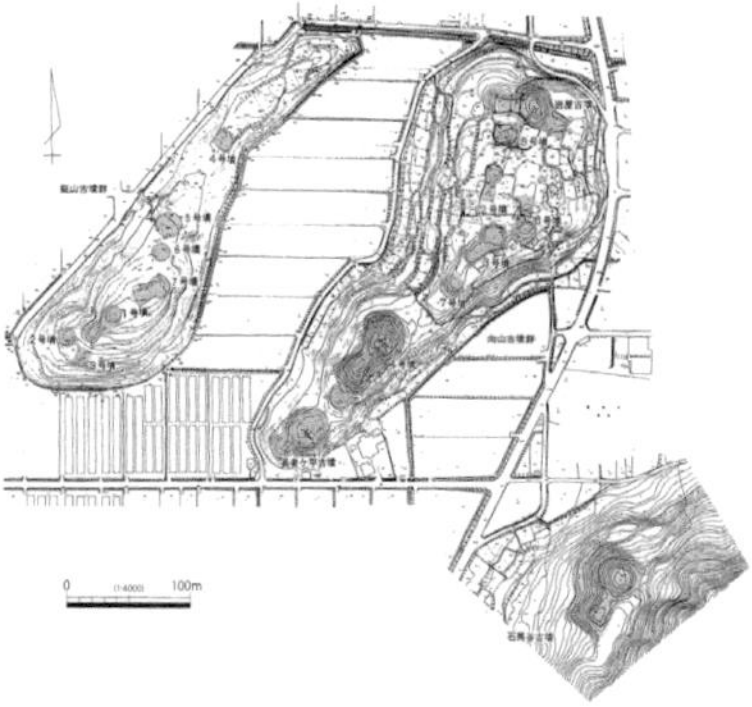

（淀江町歴史民俗資料館
『向山古墳群』1990より）

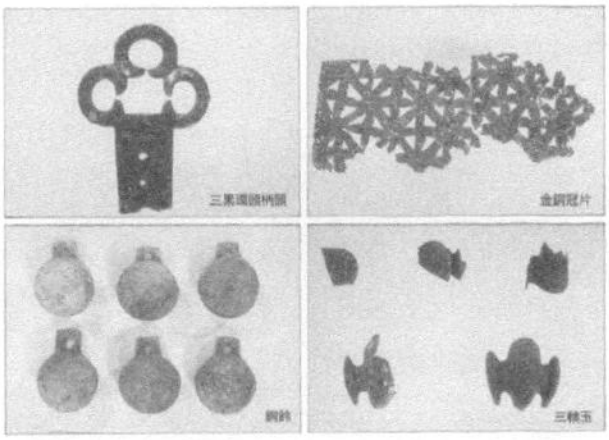

向山5号墳（長者ケ平古墳）の副葬品

（島根県立八雲立つ風土記の丘資料館
特別展図録『古代の出雲と朝鮮半島』より）

図39

⑤国史跡・向山《むこうやま》古墳群（図39）

淀江町の向山古墳群です。ここの前方後円墳の規模は、関西に比べれば小さいですが、前方後円墳体制ということで本を書かれている先生もいらっしゃるほどで、地方でも前方後円墳はヤマト王権との繋がりを示しています。墳丘の大小及び形の秩序性みたいなものは、ちゃんとこれらの古墳群の中にあるということです。まだ見つかっていないのですが、古墳時代の集落跡は、どこにどの程度のものがあるのかということも気になりますね。

それと、これは私の興味ですが、これらの古墳群が海辺の小さな丘にあるということは、大小の古墳がある丘陵全体を整備できたら、まったく別の面白い景観が現れて、学習的にも重要な拠点になると思います。

⑥百塚《ひゃくづか》古墳群（図40、図41）

それから、いま存続の危機に直面している百塚88号墳も前方後円墳で、全長26ｍという小さいものですが、これもやはり当時のヤマト政権との関係性を考えると、どういう立場の人がここに葬られているかは、地方史を考える、また中央との関係を考える、向山古墳

百塚古墳群

・5C後半から7C初頭にかけての122基からなる大型の古墳群。
・ほとんどは円墳
前方後円墳は94号墳（全長36m）と88号墳（全長26m）の2基のみ
・94号墳はすでに消失しており、88号墳が現存する唯一の前方後円墳

淀江町歴史民俗資料館
『淀江・王の軌跡』より

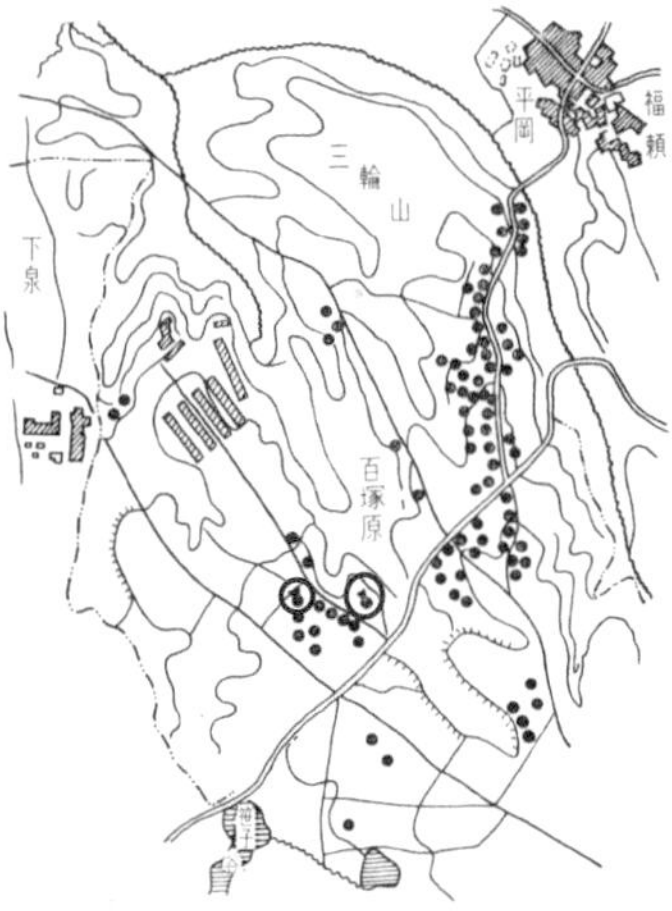

（『淀江町誌』より）

図40　百塚古墳群調査状況

との関係を考えるうえで、非常に重要であるということは間違いないと思います。

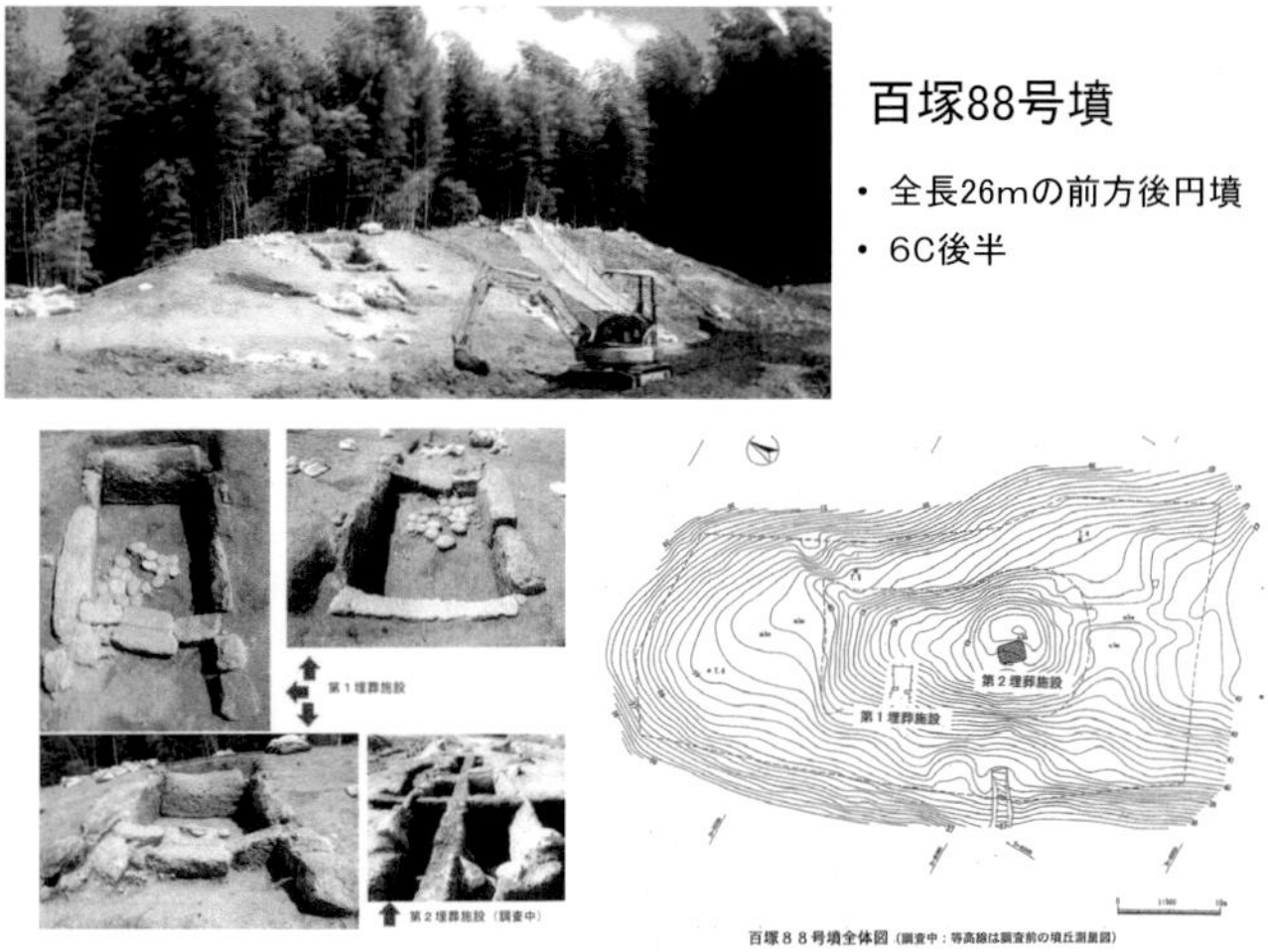
百塚88号墳
・全長26mの前方後円墳
・6C後半
第1埋葬施設
第2埋葬施設（調査中）
第1埋葬施設
第2埋葬施設
百塚88号墳全体図（調査中：等高線は調査前の墳丘測量図）

図41　米子市文化財団「百塚88号墳現地説明会資料」より

私は考古学者ではないと先ほど言いましたけれども、いろいろな古墳の整備とか石室の研究をずっとやっておりますと、遺跡には学術的な価値だけではなくて、潜在的な価値というものがあると感じます。それをどう活用するかによって、その遺跡の潜在的な価値を表に出すということが、我々の職能としてやるべきことではないかと思っております。

そうすると潜在的な価値が気になるのですよ。この百塚古墳群は、非常に面白い古墳群になると思います。これは、百塚88号墳の第1埋葬施設と第2埋葬施設です。本来は後円部ないし後方部に中心となる埋葬施設があり、前方部に祭祀関係の施設があるのが普通だと思うのですが、百塚88号墳では、前方部に横穴式石室があり、後円部には箱形の石棺のようなものがあります。普通と異なる配置はなぜか？　もっと知りたいところではあります。

⑦国史跡・上淀廃寺《かみよどはいじ》跡　金堂と塔（図42、図43）

上淀廃寺跡はすでに整備されているので簡単に話し

ますが、凄い遺跡ですよね。日本の中で特別な遺跡です。平地なら自由な伽藍配置ができるのですが、上淀廃寺は傾斜部をうまく使いながら伽藍を造っています。そして、塔が3つあるのは、非常に珍しい。一番北の塔はどうも造りかけみたいですが、3塔1金堂というのは他に例がない。塔が2つあるケースは他にもありまして、たとえば奈良の薬師寺です。それから塔が一つで金堂が3つというのは、奈良県の飛鳥寺がそうです。朝鮮半島には、塔が2つある寺院は結構あります。でも、3つ造るのはどういう意図があったのか、

中・南塔跡

金堂跡

図42　上淀廃寺跡（史跡）
『史跡上淀廃寺跡第Ⅰ期保存整備報告書』より

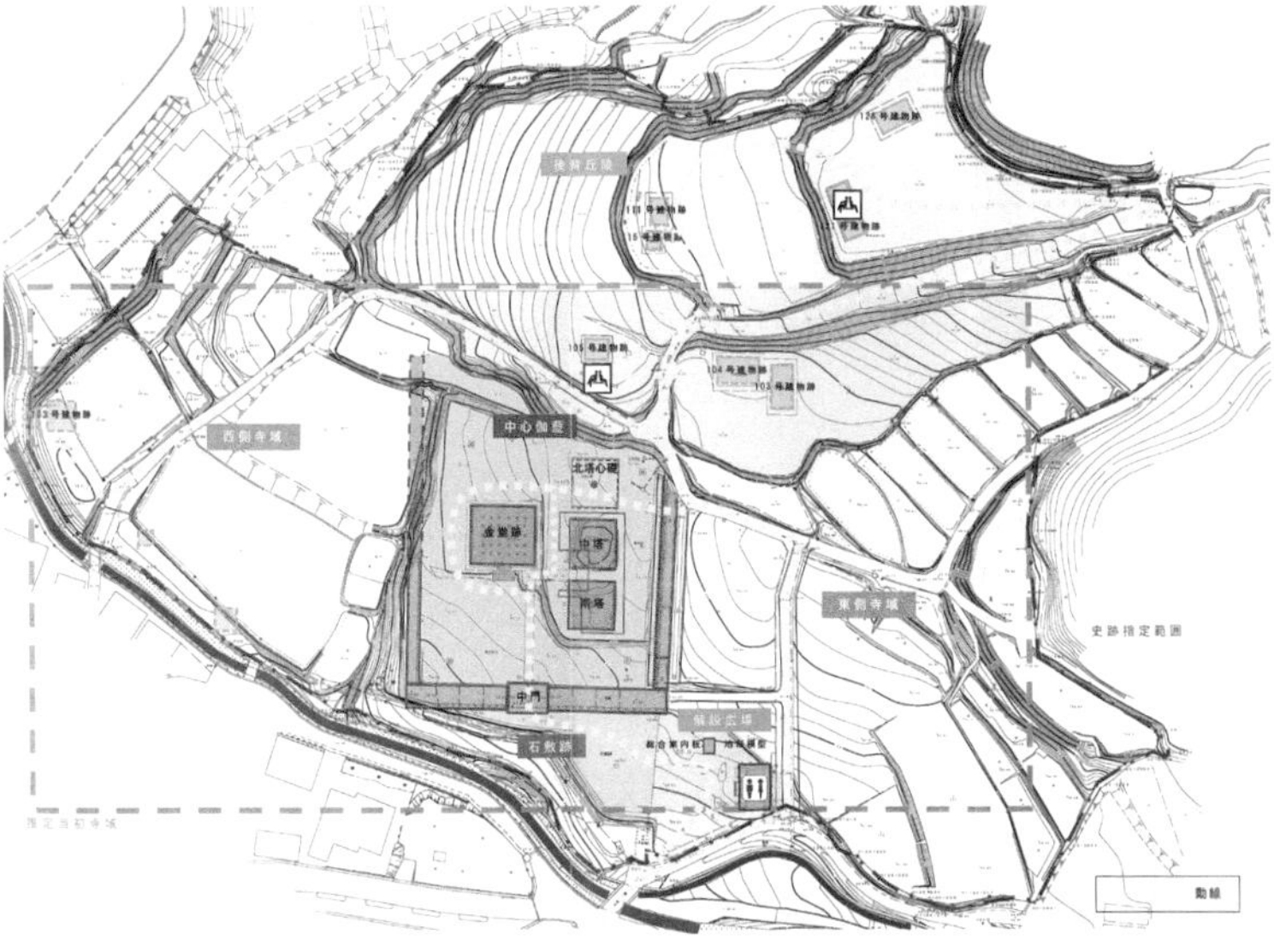

図43　ゾーニング・動線設計図
『史跡上淀廃寺跡第Ⅰ期保存整備報告書』より

図44　中心伽藍の復元図
『史跡上淀廃寺跡第Ⅰ期保存整備報告書』より

非常に興味深いところです。

建築史や美術史の世界では、白鳳時代は多様性のある輝いた時代として注目される時代で、大陸からいろいろな文化が入ってきます。

⑧国史跡・上淀廃寺跡　中心伽藍の復元図（図44）

これは、上淀廃寺がどういうお寺だったかという復元図です。この復元図を描くのは、そう簡単なことではございません。唐の様式が入った天平時代と異なり、白鳳時代の復元は特に難しいのです。

⑨国史跡・上淀廃寺跡　金堂の復元案（図45）

これは金堂の復元案です。いろんなケースを検討した結果、最終的には下の図になりました。かなり小型の金堂です。小型の金堂というのは、白鳳時代には全国にある程度の発掘事例はあります。しかし、上淀廃寺の場合は、礎石の位置がわからなかったのです。だから、いろいろシミュレーションして、いろいろ研究したわけですが、とりあえず事例から、類例から考えると、こういう形ではなかったかということで復元図を描きました。

⑩国史跡・上淀廃寺跡　第3展示室（図46）

復元した建物の中の様子です。仏像は私の専門では

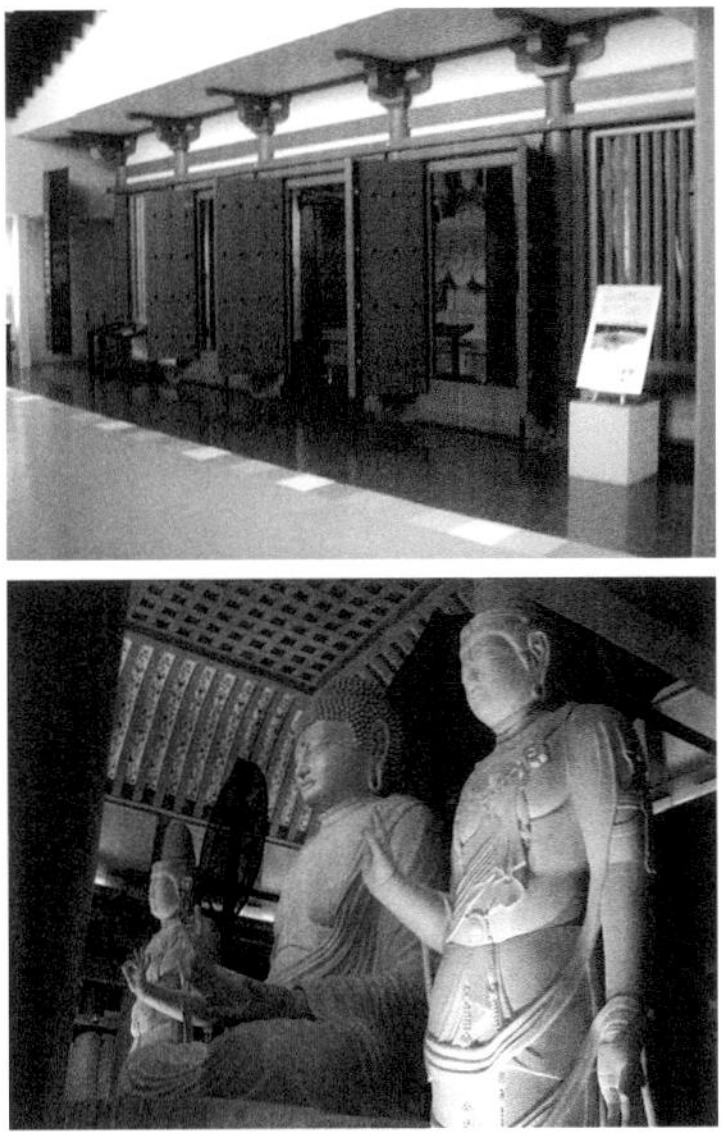

図46　第３展示室
『史跡上淀廃寺跡第Ⅰ期保存整備報告書』より

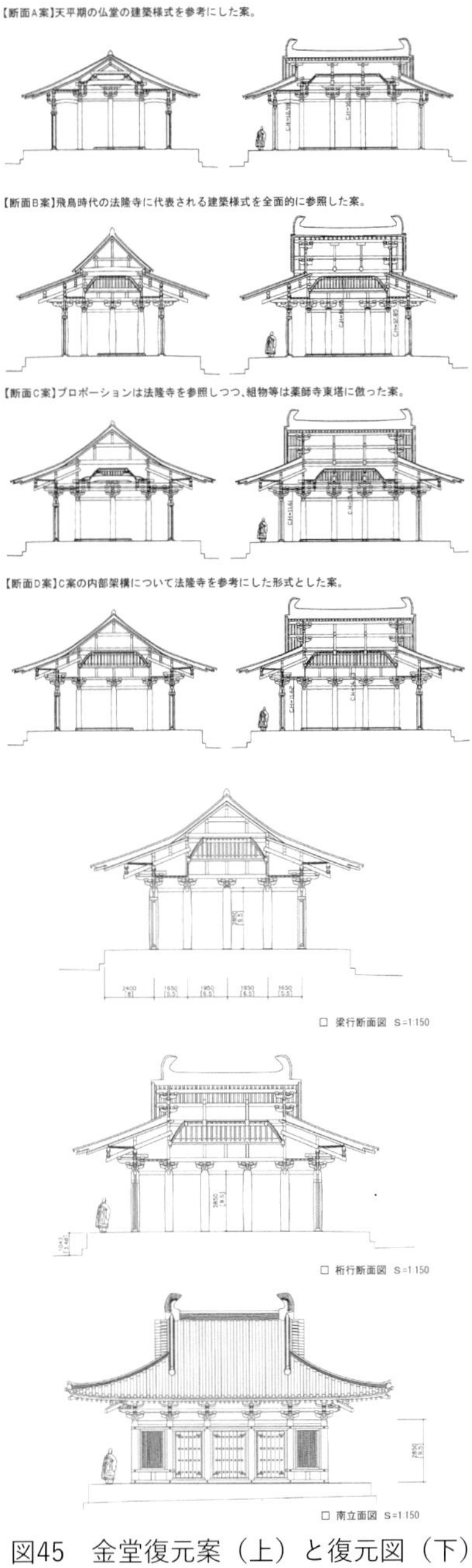
【断面A案】天平期の仏堂の建築様式を参考にした案。
【断面B案】飛鳥時代の法隆寺に代表される建築様式を全面的に参照した案。
【断面C案】プロポーションは法隆寺を参照しつつ、組物等は薬師寺東塔に倣った案。
【断面D案】C案の内部架構について法隆寺を参考にした形式とした案。
□ 梁行断面図 S=1:150
□ 桁行断面図 S=1:150
□ 南立面図 S=1:150

図45　金堂復元案（上）と復元図（下）
『史跡上淀廃寺跡第Ⅰ期保存整備報告書』より

ありませんので、別の方にお願いして、私は建物の復元設計をしました。これも、相当いろいろなことを検討しながらやりました。

⑪稲吉《いなよし》角田《すみだ》遺跡の絵画土器（図47）

それから、淀江町ではいろいろな遺物が出ておりますが、ここで重要なのは、稲吉角田遺跡で出土した弥生土器です。ここに、高い建物と舟を漕ぐ人々が描かれています。この高い建物の絵が、佐賀県の吉野ヶ里《よしのがり》

遺　物

稲吉角田遺跡

弥生中期。出土した土器に、数人が漕ぐ船と、望楼のような高い建物などが描かれた弥生土器が出土しており、当時の港の風景を描いたものだと考えられている。

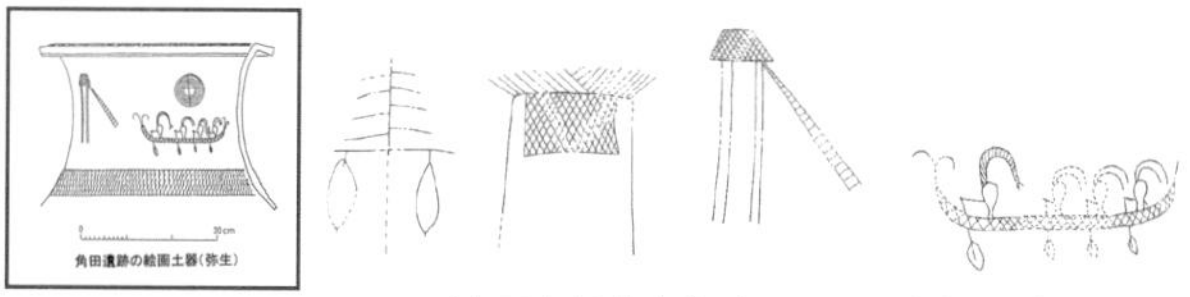

（米子市埋蔵文化財センター資料より）

晩田遺跡

現在の県立白鳳高校の敷地内にある弥生中期後半（紀元前2C～紀元前後）の遺跡。1968年に西部農業高校（現、白鳳高校）の建設に伴い、大量の遺物が出土。土器の他には、石鍬、石斧、石鏃などの石器と、玉造り関連の遺物があった。

図47

遺跡で高い建物を復元する根拠に使われました。この建物が、物見櫓《ものみやぐら》なのか、吉野ヶ里遺跡でいわれているように「楼閣《ろうかく》」と呼ぶべきものなのか、わかりませんが、我々建築の専門家は、こういう高い建物をどういう形に復元するか、いつも思い悩みます。そういう意味では、非常に重要な遺物が出てきているということですね。

⑫淀江の自然と文化の文脈とは？（図48）

淀江の自然と文化の文脈とは何ぞやということは、これは私一人で決めることではなくて、皆さんで議論していただきたいことなのですが、とりあえず私の考えを出させていただきます。これは一つの考え方にすぎず、皆さんの考えと合っているとは思いません。ただ、ご参考までにこういうことを考えてみましたということでお話させていただきます。

まず、自然と人の営みの織りなす「自然と文化のアンサンブル」ということです。これは先ほどから、いろいろな遺跡や遺構をご紹介しましたが、それらは地形を含めて存在するわけですね。そのアンサンブルであるということに尽きるのではないかと思います。

それから、先にお話しましたように、活用を考えた遺跡の潜在的な価値を見出すことが我々の仕事でもあります。それで、「ふるさとの原形」というのも漠然とした話ですが、ここ淀江で何らかのその表現ができるのではないか。この淀江の豊かな歴史と文化それから自然を含めたアンサンブルの価値を、どうやったら表現できるのかということを考えると、すぐには考えがまとまりませんが、計画することによって、ワクワクするような土地であるということは言えると思います。

淀江の自然と文化の文脈とは？

・自然と人の営み（遺跡等）の織りなす
　自然と文化のアンサンブル

・ふるさとの原形を
　ここ淀江で表現できるのでは

図48

⑬活用計画のストーリー（図49）

これは、冒頭でご紹介しましたように、1998年、妻木晩田《むきばんだ》遺跡の保存運動中におこなわれたシンポジウムの時に、私がパネリストとして参加して提案した図らしいです。20年以上前の図ですが、それほど間違ってないと思います。

先ほど申し上げたアンサンブルを構成する一つ一つの要素を輝かせ、時空間の繋がりを顕在化させる。個々の本質的価値を表現する整備ということです。妻木晩田遺跡と上淀廃寺はもう整備は終わっていますから、これからは向山古墳群や百塚古墳群など、その他の遺跡をどういうふうに組み込んでいくかということを考えるのは、皆さんです。一人で考えるべきものではない。みんなで考えましょうよ、楽しいじゃないですか、ということを言いたいところです。

それからもう一つ、系統的な調査研究をおこなう体

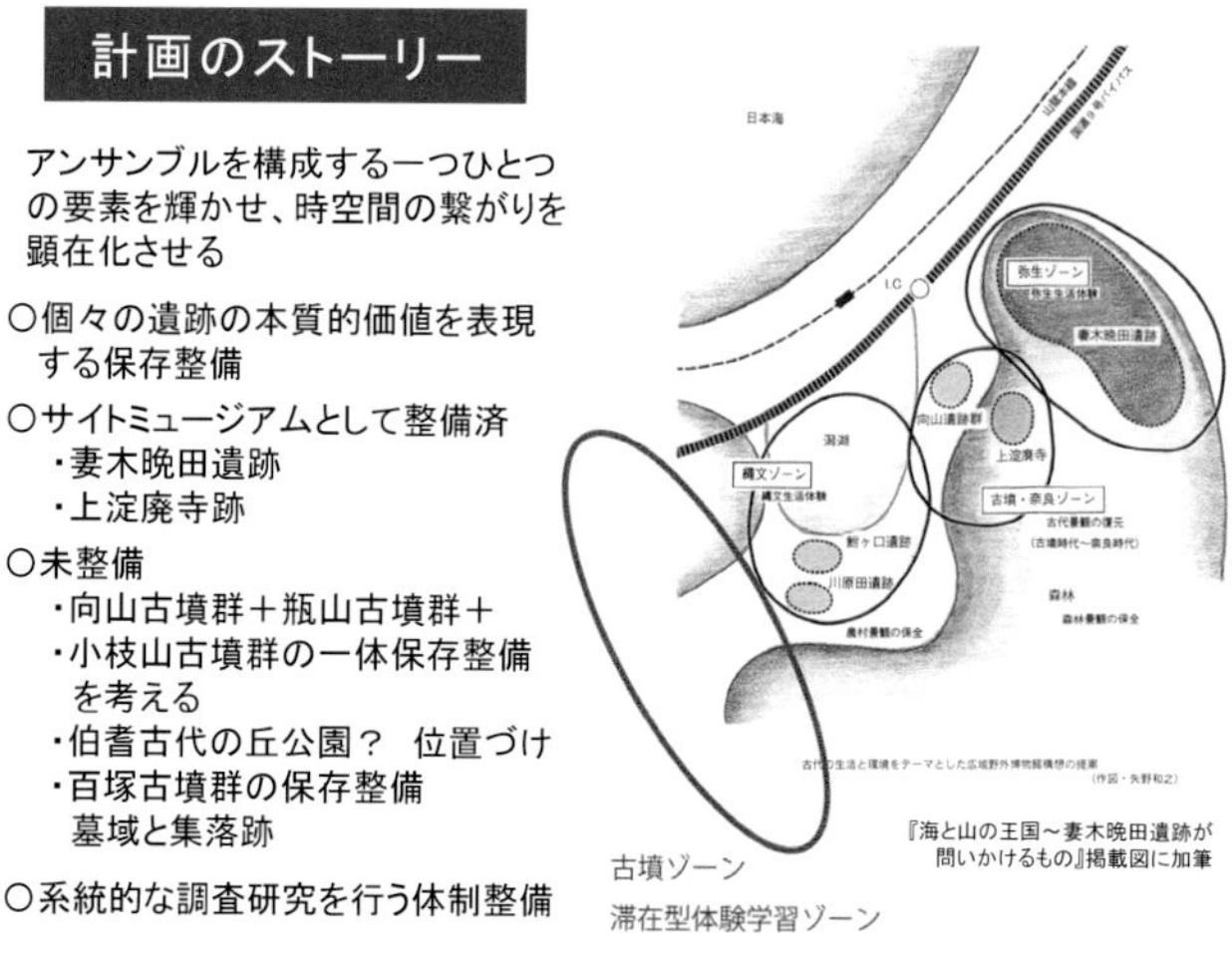
計画のストーリー
アンサンブルを構成する一つひとつの要素を輝かせ、時空間の繋がりを顕在化させる
○個々の遺跡の本質的価値を表現する保存整備
○サイトミュージアムとして整備済
・妻木晩田遺跡
・上淀廃寺跡
○未整備
・向山古墳群＋瓶山古墳群＋
・小枝山古墳群の一体保存整備を考える
・伯耆古代の丘公園？　位置づけ
・百塚古墳群の保存整備
墓域と集落跡
○系統的な調査研究を行う体制整備
日本海
I.C
弥生ゾーン
妻木晩田遺跡
向山遺跡群
上淀廃寺
古墳・奈良ゾーン
縄文ゾーン
鮒ヶ口遺跡
川原田遺跡
森林
『海と山の王国～妻木晩田遺跡が問いかけるもの』掲載図に加筆
古墳ゾーン
滞在型体験学習ゾーン

図49

制整備が必要だと思います。今回ご紹介した各地の事例のうち、成功しているところはみな、この調査研究をおこなう体制整備がしっかりしているのです。これを再度考えなくてはいけないのではないかということです。

さらに、その中で体験学習みたいなものも欲しいですね。ヨーロッパでは、研究に基づいた体験学習をきちんとやっているのです。日本でも、そのような形でやっているところはたくさんあります。それを淀江でやったら面白いと思います。

⑭淀江　空間的・時間的なつながり（図50）

それから、空間的なつながりとしては、地形です。信仰の山である大山や高霊山は、心の基盤です。伏流水は大事ですね。これが生活の基盤だったでしょう。先ほど言いましたように、私は阿蘇山の麓の伏流水がたくさんある所で育っていますので、水にはうるさいのです（笑）。それはともかく、要は水を単に飲めるというだけではなくて、水を大事にした計画をうまく考えたらいいと思います。加えて、日本海というのは重要な要素です。それから古墳・古墳群と集落と当時の景観、社会構造が見えるようになったら面白い、と

空間的つながり

・地形：信仰の山⇒心の基盤
　　　伏流水⇒泉⇒生活の基盤
　　　日本海⇒交易
　　　ラグーン

・古墳群と集落：古墳・古墳群と集落と景観⇒社会構造

時間的つながり

・妻木晩田遺跡⇒向山古墳群等⇒上淀廃寺⇒？？？

図50

いうことですね。そこまで見通した整備というのは、なかなかやられていません。これは広域整備でしか考えられない。

　それから時間的なつながりは、妻木晩田《むきばんだ》遺跡のある弥生時代から、古墳時代、それから白鳳時代。そこからあと何があるかということは、これから考えていく必要があるだろうと思います。

　もう一つ言いますと、実は白鳳時代の建物というのはほとんど残ってないのです。現実残っているのは法隆寺ぐらいです。あとは薬師寺が、建物は奈良時代ですけれど、形は白鳳時代だと言われています。白鳳時代って、ものすごく面白い。それは建築史的にも美術史的にも面白い時代です。だから上淀廃寺を中心とすると、もっといろいろなことが考えられるのではないかという気もします。

⑮住民主体の計画（図51）

　最後になりますが、エコミュージアムは住民によってつくられるということを指摘しておきたいと思います。左の写真は一関市本寺《ほんでら》地区の文化的景観の調査、右の写真はアメリカのワークショップ実践例です。みんなで考えようということで、世界各地でいろいろな試みがなされています。

エコミュージアムは住民によってつくられる
住民と行政のコラボレーションが必要不可欠
現地調査・聞き取り、ワークショップ

図51

それからもう一つ最後に言っておきたいのですが、フィールド・ミュージアムとエコミュージアムとは、自然的フィールドなのか人文的フィールドなのかの違いであって、どちらに対してもフィールド・ミュージアムという言い方を使ってもいいと思いますが、自然公園では、人間は観察者であって、自然の動物たちを変化させてはいけないというのが原則ですよね。エコミュージアム、人文系のフィールド・ミュージアムも、観光客が主体ではなくて住民が主体であって、観光客がそれを垣間見るというのが本来の姿なのです。だから、住民が主体的な考え方をもって行政とコラボレーションしてやっていくということが、今後必要になるのではないかと思います。

少し時間をオーバーしましたけれども、これで私の講演は終わりたいと思います。ご清聴ありがとうございました。

【質疑応答】

進行役　矢野先生どうもありがとうございました。お話を伺って、いろいろ興奮してきました。一言で言うと、例えが適切かどうかわからないけど、淀江というのは小学生か中学生時代の大谷翔平という感じですね。これをどうやって磨くかというのが住民というか我々の仕事であるということで、感銘を受けました。参加者の皆さんからのご質問を受ける前にちょっと先生にお伺いしたいのですが、講演のなかで「研究と体験学習」というお話されました。この体験学習というのが、私はいま一つイメージがわかないのですが、具体的にどういうことなのでしょうか。

矢　野　日本でも体験学習施設というのは、文化庁の補助事業でもあり、たとえば土器づくりだとかいろんなことをやっています。ところが、デンマークでは、研究と体験学習を総合的にやっている事例として、「ライレ歴史学考古学センター」があります。ここは、いろいろな考古学的な実験をして、それを考古学の解釈に役立てる「実験考古学」と呼ばれる取り組みを率先してやっている施設です。そこでは、さまざまな考古学的な実験をやります。鉄を作ったり鉄器を作ったり、いろいろなことをやります。その実験研究の成果にもとづいて、子ども達を集めて、鉄器時代の村で食事づくり、池があるので丸木舟を漕いでみたり、とてもバラエティに富んだ体験学習をやっています。そこまで研究にもとづいた体験学習をやっている施設は、日本にはないでしょう。日本の体験学習の中身は、遺跡の時代とかそれを加味したもう少し簡単にやっています。一足飛びには無理でしょうが、体験学習を充実させることは重要です。これは子ども達が喜ぶのです。体験学習は、子ども達を味方につけるということでもあります。

進行役　いま、先生のお話をずっと伺いながら思ったのは、遺跡ではないのですが、私が記憶している建造物として、淀江に牛市場というのがありまして、江戸時代そして明治時代、大正、昭和にかけて、隠岐の島から牛を船で運び、淀江の港に陸揚げする。海辺のそばの牛市場で商売が行われるが、そこから（日本一ともいわれた）大山の博労座の牛馬市へ連れて行ったのです。その牛市場は、淀江の海岸にありましたが、今はもう壊されて何もないんですね。それから明治・大正・昭和時代に、寿座という劇場がありました。これは旅回りの劇団がいろいろ人情物や時代劇をやったり、映画も上映しました。花道や桟敷席がありなかなか風情もありました。それも取り壊されました。広島県の上下町は、そんな劇場を今でも保存し公開しています。その時代時代で、もうこんなものは要らないということで消失してしまったものも、今になるとあれを残しておけば良かったなと思うようなものがたくさんあるのです。

そういう意味でも、先ほどお話の出た百塚88号墳も、今の時代感覚で必要か必要でないか、いろいろ議論はありますけども、10年後、あるいは何十年かたった後、後世の人が「何で壊したんだ？」と言われる可能性もあるんですよね。ですから、我々現代人の感覚、我々の判断だけで決めるというのは、ある意味でおこがましいことであると思います。

いずれにしましても、この５００万坪以上の広大な領域が、先生のおっしゃっておられるエコミュージアム、フィールド・ミュージアムという形で将来整っていけば、素晴らしいものになるのではないかと思いました。どうも、ありがとうございました。

それでは、のちほど会場の皆さんのご質問やコメントをいただきたいと思いますが、その前に、本日はお二人の考古学、文化財の専門家をゲストとしてお招きしておりますので、コメントをいただきたいと思います。まずお一人目は、京都府宮津市教育委員会で文化財の仕事をなさっておられます河森一浩さんです。ご専門は考古学なのですが、宮津市には日本三景の一つ、天橋立があり、国の重要文化財的景観に指定されましたが、その指定までのプロセスを推進されてこられた河森さんから、今日の先生のご講演についてコメントいただければと思います。河森さん、よろしくお願いします。

河　森　ご紹介、ありがとうございます。宮津市の教育委員会に勤務しております河森と申します。ご紹介いただきましたように宮津市は日本三景の一つとして知られる特別名勝・天橋立がある町でございまして、その周辺にもいわゆる史跡、古代から中世の数多くの遺跡をはじめとして、古代・中世に建てられた神社、お寺などが現在も残っており、歴史資産が集積している地域です。この一帯につきましては、景観保全の枠組みといたしまして文化的景観という平成16年に制度化された新しい文化財のカテゴリーがありますが、平成26年3月に「宮津天橋立の文化的景観」が重要文化的景観の選定を受けております。宮津市においても天橋立周辺にある景観や町並みといったものと、天橋立と周辺の山並みや海を含めた自然景観、それからそこに点在する史跡などの遺跡をどうやって一体的に保存・活用していくかということが非常に大きな課題となっているところでございまして、今日は先生のエコミュージアムに関するお話を、大変興味深く聞かせていただきました。ありがとうございます。

先生の今日のお話の中で、最後にエコミュージアムをやっていくうえで、地元住民と行政のコラボレーションが非常に大事だというお話がありました。先生のお話の中で紹介された岩手県一関市本寺地区も、重要文化的景観の選定を受けている地域ですが、パッと見ると単なる農村景観にしか見えないというか、どこにもありそうな景観地です。しかし、先生が提示された「陸奥国骨寺村絵図《むつのくにほねでらむらえず》」という中世の絵図と比べると、中世荘園の配置と現在の景観が非常によく一致し、歴史的な景観が良く残されていることがわかります。この地区では､景観が非常にわかりづらいということを、地元の人達は大変誇りにされているというか自慢にされていて、わかりにくいからこそ、ちゃんとガイドをするんだということでガイド活動をされています。遺跡を中心としたエコミュージアムを考える時にも参考になる事例かと思います。

あともう一つ、滋賀県高島市に針江生水《はりえしょうず》という地区がございます。こちらは湧水が非常に豊富な地区でして、各家に川端《かばた》という離れの施設があって、そこに水がバンバン湧いている。水が非常にきれいなので生活用水に使われています。やはり重要文化的景観に選定されています。この地区は、あるＮＨＫの番組で有名になって、お客さんが非常にたくさん押しかけました。住宅の敷地内に川端の施設があるので、地域住民の生活が脅かされるという問題が起こる中で、やはりこちらでも地元の方々がガイド活動を始めました。それも完全予約制、しかも有料でガイドをするという仕組みを作られて、地域住民と観光客の間をうまく取りもつような活動をされておられます。ここで面白いのが、ガイド料を８００円に設定し年間1万人ほど見学者がいらっしゃるということですから、結構な収益をあげているわけです。その収益をガイドの報酬などのほか、まちづくりの基金としてストックされまして、太陽光パネルの整備をしたり環境整備をしたりと、経済的に自立した取り組みを展開されています。

これから文化財を保存・活用していくうえで、資金面での問題、ボランティアだけではなかなか続かないところもありますので、針江生水地区のような経済的に自立した活動を考えながらやっていくことも、大事かなと思っております。淀江は、エコミュージアムみたいなことをやるうえでは非常に面白い地域ですが、こうしたガイドの取り組みも注目されていかれるといいのかなと思いました。本日は、どうもありがとうございました。

進行役　どうもありがとうございました。

矢　野　いまお話にでた岩手県の本寺地区の調査は、私のところで手掛けたもので、文化庁の文化的景観の選定第2号ぐらいになりました。最初の調査を担当したものですから、何とか世界遺産にしてほしいと思っていたのですが、幾つかのストーリーの中に入りづらいということだけで、世界遺産に含まれませんでした。しかし、本来世界遺産としての価値は十分あると思います。

地元の方々は、けっこう意識が高いのは確かでして、それでこれからもいろいろな活動をしていただくと、やはり住民の方がその価値を知り、それをどうやって残すか、それから外から来た人達に対してどう説明できるかは、いちばん大事なことなので、おっしゃる通りだと思います。どうもありがとうございました。

進行役　どうもありがとうございました。もう一方ゲストがいらっしゃいます。北海道小樽市の博物館館長の石川直章さんです。小樽市といえば、運河沿いの石造りの倉庫が有名で、私も行ったことがありますけれども、なかなか地域の歴史遺産と連携した素晴らしい博物館です。では、石川さん、よろしくお願いします。

石　川　現在、北海道小樽市の総合博物館の館長をやっております石川と申します。いま話題になっているテーマが古代からで、私どもが住んでいる小樽とは歴史的背景が大きく違いますので、ご参考になるか不安なのですが、矢野先生が最後におっしゃった保存に対する地域と行政のコミュニケーションについては、私も非常に重要視をしています。ご存じの方もおられるかもしれませんが、実は小樽市は小樽運河の保存運動でかなり荒れたといいますか、揺れた町です。その結果として、現在の観光都市小樽があるのです。人口11万の町にコロナ前は年間８００万の方がおいでになっていたという町です。これも先生が例示されていました歴史文化基本構想も策定いたしました。その中で小樽の文化遺産の１本の柱として、保存運動そのものが我々の文化遺産だと考えて、「民の力」というテーマで一つ立てまして、明治以降、札幌や函館、北海道の他の町がいわゆる官が作った町であるのに対して、小樽は商人が勝手に作っていった町、民の力で作った町である。そういうことも含めた一つの文化財の群ができるのではないかということで考えてきました。

実はつい先ごろの話ですが、運河沿いに、北海製罐《ほっかいせいかん》という缶詰の缶製造会社が持っていた１００年前のコンクリート製の大きな倉庫があります。鉄筋コンクリートの建物としては非常に古い例ですが、その倉庫が壊されそうになりました。そこで、先生が先ほどお話になっていた市と住民達が話し合いの会を持ちまして、一応建物は小樽市に譲っていただくことに成功しました。ただ譲っていただくというだけでは残りませんので、これからどう活用していくかということで、クラウドファンディングしたところ、予定していた金額の倍以上集まりました。

矢　野　凄いですね。

石　川　一般市民、それから小樽にゆかりの方たちがそういった文化遺産を支援してくださるかということがわかりました。今後は、もちろん小樽市とか小樽市教育委員会が表には出ていくことになると思うのですが、実働としてはやはり市民がやっていかないと将来残らないだろうと考えているところです。

ですから、矢野先生からあったお話のように、うちの町の場合はフィールドといいますと、近代化遺産だけではなく、もちろん自然も縄文時代の遺跡も大事だけれども、たぶん町全体が近代化遺産のエコミュージアムであるとして考えていく必要があるということで、市民の方の動きも出ています。また、行政の方も、いま「歴史まちづくり法」を活用して何とかならないかということで検討を始めましたので、お互い刺激しあいながら動けたらなというのが実情です。私は半分リタイアしていますので、官と民の両方の立場で、あっちでしゃべり、またこっちで好きなことをしゃべりということをやっていますので、うまくそのあたりの潤滑油になれたらと思っているところです。今日は、本当にいいお話をありがとうございました。

矢　野　どうもありがとうございました。すばらしいですね。そういう方がいらっしゃるとは、非常に心強い話です。

進行役　石川さん、どうもありがとうございました。

講演の最後になりましたけれども、私ども「古代淀江ロマン遺跡回廊」の推進会議の代表をしております倉島君夫から簡単にご挨拶させていただきます。では、倉島さん、お願いします。

倉　島　皆さん、こんにちは。共同代表の一人、倉島君夫でございます。

私はいま、東京国分寺市からお話をしております。ここから徒歩十数分の近所に武蔵国分寺跡と国分尼寺跡の2つの遺跡があります。皆さんご存じの方も多いと思いますが、この「古代淀江ロマン遺跡回廊」推進会議に私も加わりまして、今この国分寺跡は私にとりましては色あせまして、次に述べるいくつかの理由で、淀江がオーラに包まれて目に浮かんできます。

今日は、矢野先生から、日本国内各地で多くの実績を積んでこられました実例や、また海外の事例も含めまして、いろいろな研究やご功績等々お話しいただき、非常に面白くお聞きしました。とくに淀江の百塚88号墳につきましては、先日私どもの企画でご講演いただきました水ノ江先生は「遺跡の破壊は一瞬、保存は永遠」という言葉で講演を終わられていますけれども、今日矢野先生も、価値のある前方後円墳であり、これを解明していけばヤマト政権と淀江の繋がり等々も将来大きなことがわかってくるのではないかという発言をいただされております。さらに淀江には数々の古い時代からの遺跡が残っておりまして、これを自然と人の営み織りなす文化のアンサンブルとして仕上げることができるということで、淀江のもつ潜在的な可能性を高く評価していただきました。また、今後より充実した活用のためには、調査研究体制を築くこと、さらに行政と住民とが協力して進めていく必要があるというご助言をいただきました。

淀江のもつ可能性として、たとえば世界遺産の条件にもかなり適合するふさわしい要素がございます。本日矢野先生からこれからの私どもに課せられました大きな課題を私どもは前を向いて進めていきたいと思います。そのためには、私ども推進会議の会員の方々、それから地元住民の方々、行政の方と、多くの皆さんのご協力が必要だと思います。

結びになりますけども、今回のこの連続講演会には、鳥取県や米子市はじめ2つの経済団体、そのほか7つのメディアから名義後援をいただいております。誠に、ありがとうございます。

さらに、地元と全国の200名以上の推進会議会員の皆さん、これからもこの連続講演を注目していただき、さらにご協力をお願いいたします。本日は、どうもありがとうございました。

進行役　どうもありがとうございました。矢野先生、今日はどうもありがとうございました。

実はこの「古代淀江ロマン遺跡回廊」構想というの

は、私や事務局長の足立英市さん、それから今の倉島君夫さん、勝部日出男さんとワイワイ言いながら思いついた発想です。淀江で500万坪にもおよび大エコミュージアムをつくろうじゃないかという構想です。しかし、今日の矢野先生のお話を伺ってみると、もう20数年前に、矢野先生は提案されていたのですね。だから我々は、二十数年遅れで、半周遅れてやっと今ごろ矢野先生のところにたどり着いたということで、元祖・淀江エコミュージアム構想の矢野先生、引き続きよろしくご指導ご支援のほど、お願いしたいと思います。本日は、どうもありがとうございました。

矢　野　ありがとうございました。

進行役　会場の皆さん、どうもありがとうございました。また来月、お会いしましょう。

「古代淀江ロマン遺跡回廊」連続講演会

◆5月28日「淀江の遺跡の魅力と可能性」
講師　**水ノ江和同氏**（同志社大学教授、元文化庁記念物課調査官）
＊ブックレット1既刊

◆10月23日「広域野外博物館（エコ・ミュージアム）と淀江」
講師　**矢野和之氏**（㈱文化財保存計画協会代表取締役、（一社）日本イコモス国内委員会事務局長、日本遺跡学会副会長）

◆11月27日「淀江から語る　歴史を活かしたまちづくり」
講師　**西村幸夫氏**（東京大学名誉教授、国学院大学教授、（一社）日本イコモス国内委員会前委員長）

◆12月9日「文化政策と地域活性化を考える　～ポスト・コロナの視点から」
講師　**中川幾郎氏**（帝塚山大学名誉教授、日本文化政策学会初代会長）

講演会はインターネットで視聴できます。また、順次ブックレットを刊行します。

「古代淀江ロマン遺跡回廊」HP

この講演会は
YouTubeで視聴できます

「古代淀江ロマン遺跡回廊」
チャンネル

「古代淀江ロマン遺跡回廊」推進会議設立趣意書

米子市淀江町には縄文時代から弥生、古墳、飛鳥、奈良時代にかけて、全国的にも注目される遺跡や古墳が集中しています。縄文時代には海が入り込み、大山山系の湧水にも恵まれて人々の生活を豊かにしたものと思われます。弥生時代に入ると淀江湾は天然の良港となって九州や大陸との交易で日本海の海上交通の拠点として栄えました。従来注目されてきた東側の妻木晩田、上淀廃寺に加えて、西側の小波地区、壺瓶山にも光を当て数百万坪に及ぶ、わが国最大級の遺跡群として整備します。さらに森林、湧水をはじめ自然資産を修復し、孝霊山、大山をはじめ弓ヶ浜半島、島根半島、美保湾、淀江平野と360度の雄大な自然景観を楽しみながら散策したいと願っています。

また明治維新後の産業・農地開発で大部分の古墳が壊されてきた小波地区に残っている最後の前方後円墳、百塚88号墳は私たち山陰人、米子市民にとっての歴史・文化の証でもあり、先祖の魂の象徴でもあります。88号墳を保存するか更地に戻すかは我々のみならず後世の子孫が選択する資産として残しておくことが我々の務めではないでしょうか。

気候変動、地球環境劣化、コロナ・パンデミックなどで世界は揺れ動いています。少子化も大きな問題であります。しかし脚下照顧、まずは地元のロマン遺跡回廊を歩き、大自然の環境に身を置き、人類の過去・現在・未来、そして地球の将来はいかにあるべきか大いに考え、議論してまいりたいと思います。「古代淀江ロマン遺跡回廊」の構想は自然環境（湧水や景観を含む）や遺跡等の歴史遺産を大切にし、今ある資源を〝財〟を生み出す資産に変えていく事業でもあります。この構想の趣旨をご理解賜り、皆様のご賛同、ご協力をお願い申し上げます。

（詳細はＨＰをご参照ください。）

淀江へのアクセス

◆自動車の場合

米子自動車道米子インターから、国道９号線経由で約20分、山陰自動車道で淀江インターまで約５分

◆JRの場合

米子駅から淀江駅まで約15分（JR淀江駅にはタクシーが常駐していないので、あらかじめ近隣のタクシー会社にお問い合わせください）

◆飛行機の場合

米子空港からJR米子駅まで連絡バス約30分 → JR淀江駅へ
米子空港から淀江まで車で約50分（国道431号線・９号線経由）

古代淀江ロマン遺跡回廊ブックレット 2

広域野外博物館と淀江

2022年１月14日

編集・発行　「古代淀江ロマン遺跡回廊」推進会議
E-mail：kodaiyodoe@gmail.com

発　売　今井出版

印　刷　今井印刷株式会社